왜 예수인가?

왜 예수인가?
WHY JESUS

지은이 | 조정민
초판 발행 | 2014. 2. 27.
67쇄 발행 | 2016. 12. 23.
등록번호 | 제3-203호
등록된 곳 | 서울특별시 용산구 서빙고로65길 38
발행처 | 사단법인 두란노서원
영업부 | 2078-3333   FAX | 080-749-3705
출판부 | 2078-3477

▌책 값은 뒤표지에 있습니다.
 ISBN 978-89-531-2022-8   03230

▌독자의 의견을 기다립니다.
 tpress@duranno.com   www.duranno.com

두란노서원은 바울 사도가 3차 전도여행 때 에베소에서 성령 받은 제자들을 따로 세워 하나님의 말씀으로 양육하던 장소입니다. 사도행전 19장 8-20절의 정신에 따라 첫째 목회자를 돕는 사역과 평신도를 훈련시키는 사역, 둘째 세계선교(TIM)와 문서선교(단행본·잡지) 사역, 셋째 예수문화 및 경배와 찬양 사역, 그리고 가정·상담 사역 등을 감당하고 있습니다. 1980년 12월 22일에 창립된 두란노서원은 주님 오실 때까지 이 사역들을 계속할 것입니다.

WHY

왜 예수인가?

JESUS

조정민 지음

두란노

예수만이 길이라는 사람들이 답답한 분들께

참 미숙하게 살았다. 젊은 시절 마음껏 호기를 부렸지만 인생이 어디서 빗나간 줄을 몰랐다. 아내가 오랜 세월 기도했다. 그러다가 나이 마흔일곱에 새벽기도 나가는 아내를 붙들러 교회 안에 발을 들여놓게 되었다. 아내를 교회에서 구출하겠다는 각오로 출입을 시작한 것이 계기가 되어 예수를 알게 됐다. 그리고 내가 도리어 붙들렸다. 이상하게도 항복선언을 했는데 오히려 홀가분했다. 무슨 일일까?

나의 예수 탐구는 성경으로부터 시작됐고, 새벽기도로 불이 붙었다. 2년 전에 소천하신 하용조 목사님과 3년 남짓 성경 공부를 하면서 믿음의 눈이 커졌다. 그러나 예수를 따른다는 사람들을 볼 때면 믿음이 흔들렸다. '아! 나를 보고 다른 사람도 그렇겠구나!'

그래도 예수는 답이다! 이 믿음에는 흔들림이 없었다. 나이 쉰셋에

4

신학대학원에 들어가서 4년간 힘든 과정을 거쳤지만 개인적으로 신앙이 더 좋아진 것은 아니었다. 그러나 예수 그리스도에 대한 믿음은 더 단단해졌다.

지난해 베이직교회를 섬기면서 수요 강좌를 시작했다. 인문학 강좌처럼 편하게 이야기를 나누고 싶었다. 별 준비 없이 시작했지만 오랫동안 마음먹었던 일이었다. 강좌 제목은 내가 고민하던 바로 그 주제였다. '왜 예수인가? 왜 하필 예수인가? 왜 크리스천들은 예수만이 길이라고 고집해서 사람들을 답답하게 만드는가?' 속 시원히 대답해 주고 싶었다. 그러나 그것은 분명 욕심이고 교만이었다. 그래도 시도하기로 결단했다. 누군가에게 예수를 바로 전하는 일보다 사람을 더 사랑하는 방법이 없다는 믿음 때문이었다.

강의가 계속되는 동안 '왜 예수인가'에 대한 답이 다시 정리되기 시작했다. 뜻밖에도 매주 하나씩 단어가 떠올랐다. 수요일 아침마다 기도의 자리에서 받은 열두 개의 단어는 열두 번의 강좌가 되었고, 녹음된 강좌를 풀어 책이 되었다.

　　예수가 그리스도, 즉 메시아라는 사실에 지금도 절대 다수의 유대인들은 동의하지 않는다. 더 심각한 것은 지금도 예수가 교회 다니는 사람들로 인해 왜곡되고 있다는 점이다. 누군가 이 책을 읽고 당신이 예수를 더 왜곡하고 있다고 지적할지도 모른다. 만약 그렇다고 하면 달게 받아야 할 터이다. 그럼에도 불구하고 이 책은 어중간한 신자와 비신자 모두에게 꼭 전하고 싶은 메시지다. 교회와 기독교인이라면 몸서리를 치는 사람들에게 진짜 예수를 선물로 전하고 싶다. 또한 교회를 다니고 있지만 믿는 것도 아니고 안 믿는 것도 아닌 반*신자들이 예수를 만나도록 돕고 싶다.

솔직히 신학에 정통한 것도 아니고 오랜 목회 경험도 없어 일말의 두려움이 있다. 그러나 이런저런 종교 앞에서 고민하는 사람, 믿음의 도정에서 비슷한 어려움을 겪는 사람들에게 작은 도움이 될 수만 있다면 족하다. 두란노에게는 늘 빚이 많다. 그러나 사랑의 빚은 되갚을 수 없는 것이다. 받은 사랑은 늘 다른 누군가에게 흘러갈 뿐이다.

2014년 2월
영원을 바라보는 믿음의 자리에서
조정민

왜 예수인가?

세상은 기독교를 종교라는 틀로 이해하려 하지만
예수를 만난 사람은 예수는 종교가 아님을 압니다.
예수를 만난 사람은 인생이 뒤흔들리는 경험을 합니다.
왜 예수일까요?
이것을 알기 위한 영적 여행에 당신을 초대합니다.

WHY
WHY
WHY
WHY
WHY
WHY
WHY
WHY
WHY
WHY

JESUS

1강

META RELIGION
종교 이상

예수는 종교 그 이상이다

1927년인 걸로 기억합니다. 버트런드 러셀^{Bertrand Russell}이 'Why I'm not a Christian?'이라는 제목으로 연설해서 세상이 발칵 뒤집힌 적이 있습니다. '나는 왜 기독교인이 아닌가?'라는 당대 석학의 연설은 세상에 반기독교적 정서 혹은 기독교에 대한 비판적 여론을 형성하고 확산시키는 데 결정적인 역할을 했습니다. 이후 C.S. 루이스^{Lewis}와 존 스토트^{John Stott}가 'Why I'm a Christian?' 나는 왜 기독교인인가? 이라는 제목으로 반론을 제기했지만, 불교도나 무슬림과는 달리 크리스천은 예나 지금이나 논란의 중심, 논쟁의 중심에 서곤 합니다. 극렬한 반대가 있는가 하면 극렬한 찬성이 있습니다. 목숨을 걸고 순교하는 사람들이 있는가 하면 목숨을 걸고 반대하는 사람들도 있습니다.

그런데 이런 현상이 왜 지난 2천 년간 계속 됐을까요? 기독교는 태생부터 유대교에 뿌리를 두고 있음에도 유대교의 핍박을 가장 많이 받았고, 이후로도 끊임없이 순교의 역사를 써 내려오고 있습니다. 교회는 순교자들의 터 위에 서 있다고 할 정도로 많은 희생을 냈습니다. 그럼에도 기독교는 단지 명맥을 이어 온 것이 아니라 오늘날 지구상의 3분의 1가량이 크리스천일 만큼 뿌리가 깊어지고 번성했습니다.

기독교가 종교라면 난 불교를 떠나지 않았다

이렇듯 기독교는 번성했으나 문제는 교회를 오래 다닌 사람이나 처음 나온 사람이나 예수님이 누구냐고 물어보면 막상 제대로 대답하지 못한다는 것입니다. 오랫동안 교회에 다닌 사람들 중에는 교회 문화에는 익숙하지만 예수님과는 별 친분이 없는 사람도 있습니다.

크리스천이란 누구입니까? 내 안에 그리스도가 있는 사람, 그리스도가 나의 중심에 있는 사람입니다. 그런데 교회에 나오는 많은 사람들의 중심에 그리스도가 없습니다. 러셀을 비롯해 간디 등 당대에 큰 영향을 끼친 사람들이 비판의 칼을 들이댄 것은 예수가 아니라 예수를 믿는 사람들이었습니다.

그렇다면 여러분은 왜 하필 예수를 믿습니까? 왜 오직 예수라고, 예수만이 답이라고 합니까? 예수만이 길이요 진리라니, 너무 독선적이지 않습니까? 기독교는 왜 다른 종교에 비해 이토록 독선적인 겁니까?

다른 종교에는 소위 똘레랑스^{tolerance}, 즉 타인의 견해와 믿음에 대한 포용력이 있는데 기독교는 왜 그토록 배타적인 겁니까?

그런데 이 질문들은 기독교가 탄생한 때부터 지금까지 끊임없이 제기되어 왔습니다. 그런 까닭에 기독교는 다른 종교보다 안팎으로 공격이 극심합니다.

나는 이제부터 '왜 예수인가?'라는 주제로 말씀 드리려고 합니다. 어떻게 보면 초급 교리 수준의 이야기지만 그 어느 것보다 중요하며 본질적인 것이기에 반드시 제대로 알아야 할 주제입니다. 예수가 누구인가에 집중하지 않으면 오히려 교회나 교회의 문화 그리고 교회 문화를 채우고 있는 형식과 내용에 집중하게 됩니다. 그러면 교회는 예수와 점점 거리가 멀어져서 결국엔 예수와 아무 상관없는 조직이나 제도가 되고 맙니다. 그래서 예수를 우상처럼 섬기는가 하면 나의 욕구를 채워 주는 수단으로 전락시키고 맙니다.

나는 불교 집안에서 태어나 40대까지 불교에 젖어 지냈습니다. 고등학생 시절에는 이왕에 깎은 머리로 절에 들어가 몇 달간 지내기도 했습니다. 당시 그 절의 주지스님이던 분이 아무리 봐도 자네는 재가선사라면서 하산하라고 일러 주셨습니다. 재가선사란 집에서 불도를 잇는 사람을 말합니다. 당시 짧은 시간이지만 함께 지내던 분들 가운데 몇 사람은 주지스님이 되기도 했습니다.

그런 인연으로 지금도 서로 연락하면서 지내는 스님이 있습니다. 그리고 스님들의 치열한 구도적 삶에 대해서는 여전히 본받을 점이 있

다고 여깁니다. 특히 선불교는 깊은 명상 속에서 철학적인 성찰을 넘어
서는 영적인 엑스터시, 즉 니르바나^{nirvana}를 경험할 수 있는 수양법입니
다. 그런 내가 예수님을 알고 나자 예수를 믿는 일은 일반적인 종교적 추
구와는 차원이 다른 무엇이라는 사실을 깨닫게 되었습니다. 만일 기독교
가 단지 종교에 불과했다면 나는 굳이 불교를 떠나지 않았을 것입니다.

　　세상은 기독교를 종교라는 틀로 이해하려 하지만 예수를 만난 사
람은 예수는 종교가 아님을 압니다. 그러므로 아직 예수를 만나지 못했
다면 가장 먼저 해야 할 일이 예수님을 만나는 일입니다. 개인적으로 예
수님을 만나는 길은 다양합니다. 수많은 증언들이 있습니다. 그러나 누
구나 예외 없이 만날 수 있는 길이 있습니다. 성경입니다. 목사도 교회도
다른 크리스천도 도움이 될 수는 있겠지만 그 어떤 도움도 성경의 권위
에 비할 바가 아닙니다.

예수는 누구인가?

　　예수는 누구입니까? 예수는 하나님입니다. 그런데 세상 사람들은
이 땅에서 인간으로 사신 예수를 하나님이라고 하는 크리스천을 도무지
이해하지 못합니다. 사실 세상의 많은 종교 가운데 하나를 택한다는 생
각으로 접근한다면 기독교보다 불교가 훨씬 더 매력적입니다. 이슬람교
가 기독교보다 훨씬 더 강력합니다. 종교적 열심을 비교해도 미지근한

크리스천들과는 비교할 수 없을 정도입니다. 그럼에도 불구하고 예수를 만난 사람들은 다릅니다. 더 종교적이어서가 아니라 종교적이 아니어서 그렇습니다. 예수를 따르는 사람들의 겉모습은 구별되지 않을 수 있습니다. 그러나 그 중심은 구별되지 않을 수 없습니다. 내 안에 함께 거하기 시작한 예수님 때문입니다.

예수를 만난 사람은 인생이 뒤흔들리는 경험을 합니다. 그분은 우리 인생 자체를 뒤흔들어 놓습니다. 그분을 단 한 번이라도 만나기만 하면 예수 그리스도를 통해 인류 역사가 BC와 AD로 갈라졌듯이, 우리 인생도 BC와 AD로 갈라지기 시작합니다.

내가 경험했고 많은 사람들이 경험했으며 지금도 수많은 사람들이 경험하고 있는 사실입니다. 물론 신앙은 경험으로만 완성되지 않습니다. 그럼에도 그분이 우리에게 이 같은 놀라운 경험을 허락하시는 까닭은 그것이 진실이고 진리이기 때문입니다.

진리는 변질되지 않습니다. 2천 년 전에 진리였으면 지금도 진리여야 하는 것입니다. 시대와 지역과 언어와 대상에 따라 달라지는 것은 진리가 아닙니다. 그 모든 것을 초월해서 진리로 받아들여질 때 진실로 진리입니다. 예수님은 어느 시대든 어느 곳이든 어떤 사람에게든 어떤 언어로든 동일하게 하나님입니다. 예수님은 하나님으로서 2천 년 전에도 한 사람 한 사람을 만나 주셨고, 지금도 우리를 개인적으로 만나 주셔서 우리 인생을 송두리째 바꾸어 놓습니다. 이유는 단 하나입니다. 진리이기 때문입니다.

예수를 만난 사람은 예수 믿기 이전과 이후가 절대로 같을 수 없습니다. 결혼 전과 결혼 후가 다르듯이 말입니다. 만일 결혼하고도 이전과 똑같다면 그 가정은 곧 파탄을 맞을 것입니다. 나는 주례를 설 때마다 신랑 신부에게 "이제 총각으로 살았던 나, 처녀로 살았던 나, 독신으로 살았던 나를 죽여라. 전혀 다른 우리로 새롭게 태어나라"고 당부합니다. 결혼 전과 결혼 후가 달라야 하기 때문입니다.

20세기 초 프랑스의 학자 아르놀트 '반 게네프 Arnold Van Gennep 는 '통과의례'라는 용어를 처음으로 사용한 사람입니다. 그는 수많은 인생을 지켜보면서 인생에는 반드시 거쳐야 할 중요한 고비들이 있음을 발견했습니다. 그중 하나가 출생이고 결혼입니다. 또 죽음도 있습니다. 그런데 이 모든 통과의례는 공통된 속성이 있습니다.

바로 과거와 단절되는 것입니다. 결혼은 혼자 살던 시절과 단절되는 통과의례입니다. 그래야 비로소 두 사람이 함께 살아갈 수 있기 때문입니다. 두 사람이 하나가 되는 단계로 나아가려면 과거와 단절되어야 합니다. 그래야 성숙의 단계로 나아갈 수 있습니다. 이 통과의례를 통과하지 않으면 마치 알을 깨고 나오지 못한 채 그 안에서 죽어 가는 것과 같습니다. 알을 깨고 나오려면 반드시 알 속에서 지내던 과거의 삶과 단절해야 합니다.

그런데 여기서 단절은 어떤 의미에선 죽음을 의미합니다. 크리스천은 이전의 내가 죽지 않으면 절대로 진정한 크리스천이 될 수 없습니다. 크리스천이 되려면 이전의 나와 단절해야 하는 것입니다. 그런데 이 단절과 죽음은 우리 스스로 할 수 없습니다. 그래서 예수님이 우리를 직접 찾아오신 것입니다.

성철 스님은 돌아가시기 전에 자기가 대중을 속였다고 고백했습니다. 참으로 놀라운 성찰이 아닐 수 없습니다. 살아생전에 오랜 세월 면벽수행을 한 성철 스님을 사람들이 만나려면 3천 배를 올려야 했습니다. 그만큼 수많은 사람들이 그분을 만나고 싶어 했고 존경해 마지않았습니다. 그런 분이 "내가 대중을 속였거니와 쌓은 죄가 수미산보다 높다"고 했습니다. 무슨 말입니까? 존경받는 수행자로 살았지만 자신의 죄를 스스로 해결할 수 없음을 고백한 것입니다.

일찍이 출가한 성철 스님이 무슨 죄를 그렇게 많이 지었겠습니까? 우리보다 죄가 컸겠습니까? 그러나 그분은 죄의 본질을 꿰뚫어보았습니다. 그랬기에 그분은 이제 무간지옥으로 간다고 말했습니다. 성철 스님이 어디를 가는지도 정확히 모르는데 마지막 순간 정신이 혼미해서 그냥 무간지옥으로 간다고 했겠습니까? 만약에 일생 수도한 분이 결국 내가 해결할 수 없는 죄 때문에 지옥에 간다면 우리는 어떻겠습니까? 그토록 오랜 세월 마음을 수양한 성철 스님조차 죄에서 자유로울 수 없었다면 우리가 무슨 방법으로 죄를 해결할 수 있겠습니까? 아무리 수양하고 열반의 경험을 하고 수많은 사람들에게 큰 영향을 끼쳤어도 인간은 스스로 죄 문제를 해결할 수 없다는 것이 종교의 실상이자 한계입니다.

그러니 어린아이처럼 예수를 믿는 사람이야말로 얼마나 복받은 인생인지 모릅니다. 이것이 얼마나 큰 축복인지 세월이 흐르고 흘러야 알 것이며 죽어 봐야 알 것입니다. 만일 논리로 따지고 이성으로 판단해서 예수를 믿어야 하는 이유를 찾아보겠다고 한다면 일생 동안 그 이유를 찾지 못할 것입니다. 설사 답을 찾았다 할지라도 믿음이 마음먹은 대로 성큼 생기지도 않습니다.

영적 세계는 반드시 가야 하는 위험한 여행이다

영적인 세계로 여행을 떠나려면 먼저 첫발을 어떻게 내딛느냐가 중요합니다. 또 우리 몸을 어디에 묶느냐가 중요합니다. 영적인 세계는 미로와 같기 때문입니다. 영적인 세계가 왜 미로와 같습니까?

눈에 보이지 않기 때문입니다. 그래서 영적인 세계의 미로로 들어서려면 먼저 어딘가에 몸을 묶어야 합니다. 그렇지 않으면 출발한 지점으로 다시 돌아오지 못한 채 그 미로 속에서 결국 길을 잃고 맙니다. 그런데 이 위험하기 짝이 없는 여행을 시작하기에 앞서 대체 우리의 몸을 어디에 묶어야 합니까?

몸을 묶는다는 것은 생명선, 즉 라이프라인Lifeline과 연결한다는 의미입니다. 생명선과 연결되지 않으면 우리는 어느 순간 가야 할 좌표를 잃어버리고 어디쯤 헤매고 있는지조차 모르는 엄청난 난관에 봉착하게 될 것입니다. 하나님은 우리의 영적 세계 여행을 위해 감사하게도 성경을 주셨습니다. 우리의 생명선은 성경입니다.

그런데 우리가 영적인 세계로 여행을 시작하면 반드시 영적인 방해가 나타납니다. 이것이 영적 세계의 신비이고 비밀입니다.

내가 술집이나 다니고 도박에 빠질 때는 가만있지만 예수를 잘 믿어 보자 하면 절대로 가만두지 않습니다. 주일에 골프 치러 갈 때는 잠잠하다가도 골프 대신 예배를 드리고 교회 가려고 하면 이 정체불명의 영적 존재가 들쑤시고 다니기 시작합니다.

새벽예배에 나가자, 결심해 보십시오. 새벽에 교회 못 나갈 일이 열 가지도 더 생깁니다. 이때가 정신 똑바로 차려야 하는 때입니다. 이때야말로 내가 제대로 가고 있다는 신호이므로 기뻐해야 합니다. 곁길로 가면 상관없다가 바른 길로 가려면 딴지를 걸고 바짓가랑이를 잡고 늘어지기 때문입니다. 그런 까닭에 어른들은 흔히 종교를 바꾸면 집안이 망한다고 경계합니다. 어느 한 개인의 문제가 아니기 때문에 결사 반대합니다. 그러나 집안이 완전히 망하더라도 구원받는 것이 세상의 어떤 것과도 비교할 수 없이 크고 중요한 급선무입니다. 영적인 세계가 아무리 위험해도 반드시 그 세계로 여행을 떠나야 합니다.

혹자는 그렇게 위험한 여행을 왜 해야 하느냐고 따질지도 모릅니다. 잘 먹고 잘살면 됐지 않느냐고 할 것입니다. 그러나 잘 먹고 잘사는 것이 우리 인생의 전부가 아닐뿐더러 잘 먹고 잘산 끝에 가는 곳이 어디인지 분명히 안다면 그런 말을 할 수 없습니다.

천국과 지옥이 있다는 것을 믿습니까? 천국은 어디에 있고 지옥은 어디에 있습니까? 이것이 버트런드 러셀이 《나는 왜 기독교인이 아닌가?》^{Why I'm not a Christian?} 란 책을 쓴 배경입니다. 그는 제1원인론이 오류가 있다고 말했습니다. 세상 모든 것에는 원인이 있으며 그 원인을 따라가다 보면 최초의 원인인 하나님이 있습니다. 모든 것에 원인이 있다면 하나님에게도 원인이 있어야 할 것이고, 원인 없이 존재하는 것이 있다면 세상도 하나님처럼 원인 없이 존재할 수 있어야 하지 않느냐는 것이 그가 제기한 질문입니다. 존재하는 모든 것들의 원인을 거슬러 올라가 거기에 하나님이 있다면, 하나님은 누가 만들었느냐는 이야기입니다. 하나님은 스스로 존재하는 자라고 하는데 그게 말이 되느냐고 따져 묻는 것입니다.

여러분은 어떻게 생각합니까? 나와 함께 이 여행을 시작하면서 왜 예수님인지, 예수님을 제대로 알아보기 원합니다.

인간이면서 동시에 하나님인 분

오랫동안 로마 가톨릭은 부패와 타락의 길을 걷고 있었습니다. 구원자이신 예수님 대신에 화려하고 휘황찬란한 건축물과 교황의 권위만 내세우니까 예수님께 돌아가자고 깃발을 든 사건이 종교개혁입니다. 마틴 루터가 교황청을 향한 95개조 반박문을 1517년 비텐베르크 성당에 게시한 것이 그 시발이 되었습니다. 마틴 루터가 주장한 종교개혁의 핵심을 요약하면 다음의 다섯 가지로 압축할 수 있습니다.

Sola Scriptura^{오직 성경}, Solus Christus^{오직 그리스도}, Sola Gratia^{오직 은혜}, Sola Fide^{오직 믿음}, Soli Deo Gloria^{오직 주께 영광}.

'Sola Fide', 오직 믿음으로만 구원받을 수 있습니다. 어떤 행위나 헌신으로도 구원을 얻지 못합니다. 구원받아 천국에 입성하는 길은 오로지 믿음밖에 없습니다. 천국에 들어가기 위한 비자는 돈으로 살 수도, 공을 세우거나 충성을 다해서 얻을 수 있는 것이 아닙니다. 오직 믿음밖에는 없습니다.

'Sola Gratia', 오직 은혜로만 구원받을 수 있습니다. 구원은 하나님이 우리에게 값없이 주시는 은혜입니다. 현대인들은 '값없이'라는 단어에 주목합니다. 의심스럽기 때문입니다. "요즘 세상에 공짜가 어디 있어?" 물을 것입니다. 실제로 교회는 헌금을 요구합니다. 어떤 사람은 헌금하기 싫어서 교회에 안 가겠다고도 합니다.

나도 교회에 갔을 때 목사님이 헌금하라고 해서 발을 끊었습니다. 나를 데려간 아내더러 "어떻게 처음 보는 사람한테 돈 내라고 할 수 있어?" 했습니다. 아내가 그다음으로 데려간 교회에서는 다행히 돈 내라는 말은 하지 않았습니다. 입구에 헌금함이 있어서 헌금 내는 순서가 따로 없는 것입니다. 그래서 너무 좋았는데 놀랍게도 그 후에 자발적으로 더 헌금하게 되었습니다. 감동이 있으니까 그렇습니다.

하나님은 사람의 돈이 필요 없습니다. 우리의 헌신도 필요 없습니다. 오직 믿음만 요구하십니다. 그런데 초대교회에서 시작된 교회가 점점 타락하기 시작했습니다. 로마 가톨릭은 사람들을 율법에 묶고 종교에 묶어 버렸습니다. 더 쉽게 말하면 눈에 보이지 않는 영적 세계로 안내하다가 함께 길을 잃어버린 것입니다. 종교개혁은 다들 예수님을 따라나섰다가 어느 순간 예수님과 성경의 권위 위에 교회와 교황의 권위를 슬며시 포개 놓은 것을 개혁하려 한 운동입니다. 교회와 교황이 아니라 예수님께 돌아가서 오직 믿음으로, 오직 은혜로 구원을 받자고 한 것입니다.

예수님은 인간이면서 동시에 하나님이십니다. 그분은 완벽한 신성과 완벽한 인성을 다 가지신 분입니다. 그런데 어떻게 인간이면서 동시에 하나님일 수 있습니까? 이것은 초대교회 이후 수세기 동안 논쟁의 중심에 섰던 주제입니다.

그렇다면 예수님은 왜 그런 존재로 우리에게 오신 걸까요? 이것이 바로 영적 세계의 비밀입니다. 인간은 인간만이 구원할 수 있습니다. 그런데 그냥 인간이 아니라 인간 이상이어야 구원할 수 있습니다. 물에 빠진 사람을 물 밖에 있는 사람이 구할 수 있는 것처럼 말입니다. 마찬가지로 죄인은 죄인을 구원하지 못합니다. 죄인이 아닌 분이 죄인을 구할 수 있습니다. 그래서 예수님은 죄 없는 인간으로 이 땅에 오셔야 했습니다. 인간 이상이 되어야 인간을 구원할 수 있기 때문에 인간이면서 동시에 하나님인 존재로 이 땅에 오신 것입니다.

예수쟁이 잡으러 갔다가 예수쟁이가 되다

우리는 오로지 성경에 집중해야 합니다. 성경을 가르치는 사람조차 가까이 가서 보면 실망스럽습니다. 성경을 보지 않으면, 특히 예수님의 복음을 전한 사복음서를 보지 않으면, 성경을 신주단지처럼 여긴다고 해도 예수님과 전혀 상관없는 삶을 사는 이상한 크리스천이 되어 버립니다.

우리는 살면서 두 종류의 시험을 치르게 됩니다. 하나는 답을 모르고 시험을 보는 것이고, 다른 하나는 답을 미리 알려 주고 시험을 보는 것입니다. 하나님은 미리 답을 주고 시험을 보게 하십니다. 그리고 하나님의 시험은 결국 우리에게 복된 시험입니다. 이미 우리에게 주신 답을 몰라서 다른 곳에서 헤매지 않기를 바랍니다. 답은 어디에 있습니까? 바로 성경입니다.

내 아내는 모태신앙인입니다. 나는 아내와 결혼하기 위해 교회에 나가겠다고 동의했습니다. 그러나 막상 결혼하고 나서는 교회 이야기를 꺼내지도 못하게 했습니다. 시어머니 따라 절에 가지 않는 대신 교회도 안 나간다는 선에서 타협을 했습니다. 해외 특파원 근무를 시작하면서 아내가 교회 가는 것을 묵인했습니다. 주말에 아이들과 아내를 집에 두고 골프장으로 달려 가는 것이 마음에 부담이었기 때문입니다. 아내는 주일이면 교회로 가고 나는 한결 편한 마음으로 주말 골프를 즐겼습니다. 서울로 돌아와서는 아내가 다시 교회에 나가지 못하도록 만류했지만 소용 없었습니다.

　　그러던 어느 날 아내가 새벽기도를 나가기 시작했습니다. 화가 나기도 했고 이유가 궁금하기도 했습니다. 아내가 저혈압 체질이어서 새벽에 일어나지 못했는데 무엇 때문에 날마다 어김없이 교회를 가는지 궁금했고, 또 어느 순간에는 정말 교회를 가는 것인지 아니면 교회 간다 해놓고 다른 데 가는 것은 아닌지 더럭 의심이 들기도 했습니다.

　　어느 날 아침 내 발로 교회를 찾아가는 사건이 일어났습니다. 교회 옆 골프 연습장에 갔더니 한 달에 한 번 쉬는 정기휴일이었습니다. 집으로 바로 갈까 하다가 아내가 정말 교회에 있는지 확인해야겠다는 생각이 들었습니다. 교회 2층 본당에 들어가 기둥 곁에 앉았습니다. 아내는 뒤편에 앉아 설교를 듣고 있었습니다.

　　설교가 끝나자 불이 꺼지면서 사람들이 각자 개인 기도를 하는 듯했습니다. 그런데 여기저기서 방언이 튀어 나오는데 정말 충격적이었습니다. 아주 이상하고 희한한 말을 쏟아놓는데 이들이 정말 미쳤구나 싶었습니다. 설교단 위를 보니 거기에는 얼핏 보기에도 중증 환자들이 포진해 있었습니다. 보기에 증세가 조금 가벼운 환자들은 단 밑에서 무릎을 꿇고 앉았고, 그나마 예배당 의자에 앉은 사람들은 내 눈에 구출이 가능한 사람들 같았습니다. 이런 곳에 아내가 발을 들였다 생각하니 큰일이다 싶었습니다. 당장에 끌고 나가고 싶었지만 꾹 참고 집에 돌아가 아내를 기다렸습니다. 마침내 아내가 돌아오자 나는 어디 갈 데가 없어서 그렇게 이상한 데를 가느냐고 냅다 소리를 질렀습니다. 그런데 뜻밖에 아내는 내가 호통을 치는데도 못 들은 척하면서 아무런 대응도 하지 않았습니다.

나는 말로는 안 되겠다 싶어서 다음날부터 이 교회를 취재해 보기로 마음먹었습니다. 이단이 틀림없다고 생각한 것입니다. 그때는 골프장도 잊고 오로지 〈카메라 출동〉 같은 프로그램으로 이 교회를 고발해야겠다는 마음뿐이었습니다. 그런데 설교를 듣는데 옳은 말씀만 하는 겁니다. 그렇게 4일째 취재하러 교회에 간 날이었습니다. 예배당 맨 뒤에서 팔짱을 끼고 앉아 예배드리는 모습을 지켜보는데, 사람들이 마치 술에 취한 사람들처럼 두 손을 들고 노래하는 겁니다. 술도 마시지 않은 맨정신에 어떻게 저런 노래를 부르며 게다가 손을 높이 들고 부르나, 단단히 미쳤다 생각했습니다.

그러다 사람들이 "너 예수께 조용히 나가 네 모든 짐 내려놓고 주 십자가 사랑을 믿어"찬송가 539장를 부르는데 갑자기 눈물 몇 방울이 주르르 흘러내렸습니다. 깜짝 놀라 눈물을 훔치는데 그때부터 봇물 터지듯 걷잡을 수 없이 눈물이 쏟아지기 시작했습니다. 참으로 당황스러운 순간이자 낭패였습니다.

그런데 놀랍게도 나와 상당한 거리를 두고 앉아 있던 아내가 그런 내 모습을 보고 눈물 콧물을 쏟으며 감사기도를 드리는 것입니다. 아무래도 여자의 능력은 남자보다 훨씬 뛰어난 것 같습니다. 머리 뒤에도 눈이 달린 것 같고, 귀도 사방팔방으로 뚫린 것 같거든요. 한 자리에서 삼삼오오 대화를 나눠도 여자들은 남의 얘기까지 다 듣습니다. 남자들은 같이 얘기한 사람들의 말도 제대로 듣지 못하지 않습니까.

일주일 취재하기로 했지만 더 이상 창피한 꼴을 보이기 싫어서 그 날로 자진 철수했습니다. 그 다음주 월요일이었습니다. 당시 나는 주말에 뉴스데스크 앵커를 해서 월요일마다 쉬었습니다. 쉬는 날이면 무조건 골프를 치러 가는데, 그날따라 아내가 조금 일찍 귀가해 달라고 부탁했습니다. 보통 골프 치고 나서 술집을 순례하다 보면 새벽 1~2시에 귀가하는데, 그날은 아내의 말을 따라 저녁 8시에 집에 들어갔습니다.

그런데 거실에 낯선 사내가 앉아 있었습니다. 잠깐 할 말이 있어서 왔다며 자신은 목사라고 소개하는 겁니다. 순간 이 자를 취재해야겠다 싶어 물리치지 않고 얘기를 들어 보기로 했습니다. 그런데 그가 5분이면 끝나니 자기 말을 따라 하라는 겁니다. 그러더니 "나는 죄인입니다"를 읊습니다. 분위기가 심상찮다 했지만 순간 하다 만 교회 취재를 계속해야겠다는 생각이 들어 마지막에 "아멘"까지 따라 했습니다. 그런데 마지막에 "아멘" 하는데 순간 머릿속에 한 장면이 스쳐 지나갔습니다. 일본군이 미주리 함상에서 맥아더 장군에게 항복 문서에 조인하는 모습입니다. '아! 내가 지금 항복 문서에 사인한 것이구나! 내가 졌구나! 내가 내 인생의 주인이 아니구나!' 그런 생각들이 연이어 스쳤습니다. 목사님은 인사를 나누기가 무섭게 다른 이야기는 하지도 않고 돌아갔습니다.

나는 망연자실해서 한동안 멍하니 있다가 성경을 읽기 시작했습니다. 실체를 알아야겠다는 생각이 들어서입니다. 그렇게 읽기 시작한 성경을 다섯 번이나 읽었습니다. 나중에는 개역성경이 너무 이해가 안 되어 현대인의성경을 사서 읽고, 그것도 어려워 어린이 성경을 읽고, 한영 성경까지 사서 읽었습니다.

그러다 내가 눈물을 흘렸던 바로 그 새벽기도의 현장에 가 보아야겠다는 생각이 들었습니다. 취재한답시고 갔다가 갑자기 쏟아진 눈물의 의미를 알아야겠고, 목사님의 설교를 들어 봐야 기독교의 실체를 알 것 같아서입니다. 당시는 곧잘 새벽 1시까지 일하는데다 술 마시면 새벽 2-3시까지 붙들려 있던 때라 새벽 5시에 나가려면 코피를 쏟기 일쑤였습니다. 하용조 목사님이 그런 나를 알아보고 코피를 쏟으면서까지 예배에 나온다고 치켜세워서 나중에는 안 나갈 수도 없게 되었습니다. 1년만 다녀 보자, 1년만 미친 듯이 성경을 읽어 보자 마음먹게 되었습니다.

진리가 답이다, 성경이 답이다

1년 뒤 내가 내린 결론은 이랬습니다. '성경은 진리다.' 무슨 강력한 영적 체험이 있었던 것도 아닙니다. 그런데도 성경은 진리이며 모든 인생의 답이 여기에 있다는 사실이 인정되고 믿어졌습니다. 사실 불교에 심취해 본 사람이나 무속에 조예가 깊은 사람은 성경이 영적인 책이라는 사실을 한눈에 알아봅니다.

눈에 보이는 물질의 세계가 전부가 아니라는 것은 누구나 인정합니다. 우리가 형이상학metaphysics을 공부하는 이유도 그 때문입니다. 보이는 물질세계physics 이면에 어떤 질서가 있을 것이라는 가정하에 정신 세계를 공부하고 연구하는 것입니다. 형이상학으로도 해결이 안 되기 때문에 종교가 생겨났습니다. 그리고 이 종교로도 해결할 수 없기 때문에 예수님이 이 땅에 오셨습니다. 그런 점에서 예수님은 종교 이상meta religion 이라 할 수 있습니다.

예수님이 'meta religion' 즉 종교 이상임을 주장하기 위해 이 책이 씌어졌습니다. 수많은 이단이 생겨나고 수없이 많은 비난의 대상이 되는 부작용에도 불구하고 '과연 예수를 믿는 기독교는 종교 이상인가? 예수는 과연 종교 이상의 존재인가?' 하는 점을 이 책을 통해 분명히 하고자 합니다.

성경은 역사적인 사실에 기초하고 있습니다. 이스라엘 백성이 수많은 고난과 핍박을 당했으면서도 4천 년이란 유구한 세월 동안 살아남은 저력은 무엇입니까? 하나님이 자신을 구원해 주셨다는 믿음이 그들의 저력입니다. 이집트에서 노예로 살던 200만 명의 이스라엘 백성을 한순간에 출애굽시킨 역사적인 사실이 있기 때문에 그들의 신앙은 흔들림이 없는 것입니다.

그러므로 흔들리지 않는 신앙의 기초 위에 서기 위해서는 팩트fact 가 있어야 합니다. 우리는 흔히 어느 날 가슴이 뜨거워져서 울며불며 기도할 때는 잘 믿는 것 같다가도 눈물이 마르고 감정이 메마르면 믿음이 흔들립니다. 그러나 하나님은 우리의 감정이나 행동에 근거해서 우리와 관계를 맺기로 결정하시지 않습니다. 그분은 일방적으로 우리를 덫에서 꺼내 주기로 결정하셨을 뿐입니다. 우리를 일방적으로 구원하기로, 우리를 일방적으로 사랑하기로 한 그분의 결정을 사실로 경험하지 않으면 우리는 늘 자기 감정과 기분에 따라서, 자기 논리와 경험에 따라서 하나님을 판단하게 됩니다. 그러다 나 중심적인 사고와 신앙의 틀을 가지고 하나님을 쥐고 흔들려 하고 하나님과 거래하려고 듭니다.

물론 신앙이 어릴 때는 울고 보챌 수 있습니다. 부모는 아이가 태중에 있을 때, 출산했을 때, 아직 어려서 아무것도 할 수 없을 때 모든 필요를 기꺼이 채워 줍니다. 그러나 자립할 때가 되어서도 대소변을 못 가리면 볼기짝을 얻어맞을 수밖에 없습니다. 우리를 신앙 안에서 자라도록 양육시키기 위해서는 그대로 내버려두면 안 되기 때문입니다. 이것을 사실로서 경험해야 하는 것입니다.

하나님이 우리를 다루시고 빚으시는 모든 과정에 선한 목적이 있다는 것을 깨닫는 것이 신앙의 축복입니다. 내가 원하는 것을 얻는 것이 축복 같지만 막상 얻고 나면 그것이 허사임을 깨닫게 됩니다.

이 세상에서 가장 큰 신비는 돈 벌기 위해서 건강 버리고 건강 되찾기 위해서 그 돈 다 쓰는 거라고 합니다. 세상은 이처럼 부조리한 삶을 정상적인 삶이라고 주장합니다. 그러므로 세상 풍조나 세상의 방식, 세상의 길이 답이 아닙니다. 모든 사람이 몰려간다고 답이 아닙니다. 활짝 뚫린 대로가 빨리 갈 것 같지만 그 끝이 절벽이면 아무 소용이 없습니다. 시대와 공간을 뛰어넘는 진리가 답입니다. 성경이 답입니다.

WHY
WHY
WHY
WHY
WHY
WHY
WHY
WHY
WHY
WHY
JESUS

2강

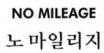

NO MILEAGE
노 마일리지

복음은 마일리지가 필요 없다

NO MILEAGE

나는 1970년대에 홍제동에서 살았습니다. 50번 버스를 타고 광화
문이나 시내로 나가곤 했는데, 이 버스의 종점이 우리 집에서 서너 정거
장 뒤에 있는 문화촌이었습니다. 그런데 종점에서 서너 정거장 만에 버
스는 이미 만원이어서 안내양이 억지로 밀어넣기 한판을 해야 겨우 올
라탈 수 있었습니다. 문제는 이 만원 버스가 무악재 고개를 넘을 때입니
다. 초만원 상태의 버스는 힘이 달려서 고개를 넘기가 힘에 겹습니다. 그
러다 간혹 고장 나 서기라도 하면 버스에 탄 사람들이 아우성을 칩니다.
아침 출근길과 등굣길에 까딱하다간 지각하게 생겼으니 그럴 수밖에요.
많은 사람들이 한 마디씩 하지만 주장은 크게 두 갈래입니다. 한편은 빨
리 이 버스를 고쳐서 출발시키라는 것입니다. 다른 한편은 이 버스를 포
기하고 당장 다른 버스를 부르라는 것입니다. 고치라는 쪽은 대개 앉아

있는 승객입니다. 다른 버스를 요구하는 쪽은 물론 서 있는 승객들이 대부분입니다.

나는 〈설국열차〉란 영화를 보지는 못했지만 내용을 들어 보니 그 시절 만원 버스 상황과 다르지 않은 것 같습니다. 그 만원 버스에서 앉아 있는 사람은 기득권층이라 할 수 있습니다. 힘겹게 서서 가는 사람은 기득권층에 대한 불만으로 어떤 형태로건 변화를 꾀하는 사람들입니다. 기득권층에는 보수라는 딱지가 붙여지고 기득권층에 대한 불만 세력에는 진보라는 딱지가 붙여지곤 합니다. 요즘은 앉아 있지만 서서 가는 사람들의 주장에 찬동하는 사람들에게 '강남좌파'라는 이름을 붙입니다. 이처럼 우리가 살아가는 세상은 끊임없이 자신의 관점과 입장을 관철하고자 하는 분쟁과 갈등이 있을 수밖에 없습니다.

여러분은 지금 만원 버스에서 앉아 있는 사람입니까, 서 있는 사람입니까? 나는 늘 서 있는 입장이라고 생각했습니다. 실제로도 앉기보다 서 있을 때가 더 많았습니다. 그래서 나는 늘 변화에 관심이 많습니다. 이 변화는 과격하게 표현하면 혁명이 될 수도 있습니다. 혁명은 질서 전체를 새롭게 재편하는 일입니다. 기존의 질서를 완전히 갈아엎어 버리는 것입니다.

나는 대학에서 정치학을 전공했는데, 기존의 질서와 체제를 바꾸는 가장 효과적인 방법이 정치라고 생각했기 때문입니다. 경제의 기본 단위가 화폐라면 정치의 기본 단위는 권력입니다. 나는 권력을 쥐면 기존의 질서를 갈아엎을 수 있다고 생각했습니다. 권력을 합법적으로 획득하면 개혁이 되는 것이고, 비합법적으로 획득하면 혁명이 되는 것이죠. 그런데 대학에서 막상 정치학을 공부하다 보니 과연 권력이 세상을 바꿀 수 있는가에 회의가 생기기 시작했습니다.

내가 대학을 다니던 1970년대는 박정희의 유신 독재 시절이었습니다. 나는 10년간 대학을 다니면서 단 한 학기도 제대로 공부한 적이 없습니다. 시위하러 길거리에 있거나 휴교령이 떨어져서 학교에 갈 수 없거나 비상계엄령이 선포되거나 해서 도무지 공부할 수 있는 환경이 아니었습니다. 비싼 등록금을 내고도 제대로 공부할 수 없었으니 참 억울한 시대였습니다.

대학에서 제대로 학문을 배울 수 없으니 독학하는 수밖에요. 어떻게 세상을 바꿀 것인가를 고민하면서 정치사상을 공부하게 되었고, 공산주의와 자본주의, 민주주의에 대해 심각하게 고민하게 되었습니다. 정치사상사를 공부하면서 얻게 된 결론은 그것이 개인의 가치를 우선하냐, 사회 전체의 가치를 우선하냐에 따라 크게 두 갈래로 나뉜다는 것입니다.

개인의 가치가 집단의 가치보다 우선한다는 사상에는 대표적으로 자본주의와 민주주의가 있습니다. 반면 개인이 희생되더라도 사회 전체의 가치를 지켜야 한다는 사상에는 대표적으로 사회주의와 공산주의가 있습니다. 파시즘과 나치즘도 여기에 속합니다. 그러니까 하나는 개인주의 individualism 이고 다른 하나는 전체주의 totalitarianism 인 것입니다.

여러분은 어느 쪽이 옳다고 생각합니까? 개인의 자유나 가치가 희생되더라도 전체가 유지되고 성장해야 한다고 생각합니까, 아니면 전체의 이익이 훼손되더라도 개인의 자유나 가치가 우선되어야 한다고 생각합니까?

보수와 진보의 논리도 따지고 보면 이 두 흐름으로 귀결할 수 있습니다. 너무 단순화시켜서 보는 것 같지만 개인보다는 전체를 중시하는 쪽이 진보라면, 전체보다는 개인을 중시하는 쪽이 보수라고 할 수 있습니다. 보수와 진보 간의 사상적 대립과 갈등은 어쩌면 인류가 집단으로 거주하기 시작한 이래 멈춘 적이 없다고 봐야 할 것입니다.

무엇이 세상을 바꾸는가?

예수님이 이 땅에 오셨을 때 이스라엘은 로마 제국의 식민지였습니다. 이스라엘은 그 전에도 바벨론과 앗수르, 그리스 등의 지배를 받았습니다. 아주 오랜 세월 동안 외세의 압제하에 있었던 것입니다. 36년간 일제치하를 경험한 우리나라는 지금도 그 시절을 떠올리면 분개하는데 이스라엘은 오죽했겠습니까? 예수님이 이 땅에 오셨던 당시는 이스라엘 백성들 사이에서 메시아 대망사상이 간절하던 때였습니다.

그렇다면 이스라엘 백성이 그토록 바라마지 않던 메시아는 어떤 분이었을까요?

그들은 무엇보다 로마의 지배로부터, 로마 제국으로부터 정치적

독립을 가져다줄 메시아를 기대했습니다. 그 옛날 찬란했던 다윗 시대의 영광을 재현해 줄 세상의 왕을 기대했던 것입니다. 뿐만 아니라 이스라엘 백성은 하나님께 선택받은 선민으로서 살아가는 종교적 열망도 뜨거웠습니다. 이렇게 메시아 대망사상이 뜨겁던 때에 예수님은 스스로 자신이 그 메시아라고 선포하셨습니다. 그러자 사람들 사이에서 전혀 다른 반응이 나타나서 서로 부딪치기 시작했습니다.

"네가 무슨 메시아냐?"며 분노하는 사람들이 있는가 하면, 열두 제자와 같이 가는 곳마다 기적을 베푸는 이분이야말로 메시아라고 호응하며 따르는 사람들이 있었습니다. 이 두 관점이 맹렬하게 부딪치면서 결국 예수님은 십자가에 못 박혀 돌아가셨습니다. 그러나 여기서 우리가 잊지 말아야 할 것은, 이 두 부류 중 어느 쪽도 예수님이 말씀하신 메시지를 제대로 알아듣지 못했다는 사실입니다.

그렇다면 오늘날은 어떻습니까? 무신론자들은 리처드 도킨스[Richard Dawkins]의 《만들어진 신》에 열광하며 예수가 어떻게 하나님이 될 수 있느냐고 반박합니다. 그들은 인간 예수가 하나님이라는 주장은 난센스라고 비웃습니다. 사두개인과 바리새인들이 예수를 미치광이라고 한 것처럼 오늘날도 여전히 예수를, 그리고 그런 예수를 믿는 크리스천을 미치광이라고 손가락질합니다.

예수님이 이 땅에 메시아로 오신 것은 이스라엘을 로마 제국으로부터 독립시키기 위해서가 아니었습니다. 기적을 베풀어 세상을 깜짝 놀라게 하려던 것도 아니었습니다. 예수님은 공생애 동안 누차 자신이 이 땅에 오신 목적을 말씀하셨는데도 사람들은 자기중심적인 관점으로 예수님을 판단하고 이해했습니다. 오늘 우리도 2천 년 전 이스라엘 백성이 그랬던 것처럼 예수님을 오해하고 왜곡하고 있는지도 모릅니다.

과연 예수님이 이스라엘 백성의 바람대로 이스라엘을 독립시켜 줬다면 우리가 원하는 유토피아가 실현되었을까요? 또 예수님이 오랫동안 살아 계셔서 전 세계를 다니며 기적을 베푸셨다면 이 세상이 유토피아가 되었을까요?

내가 권력을 획득함으로써 이 사회를 변화시킬 수 있다고 믿은 것처럼 경제학자들은 사회 문제를 경제로 풀어 갈 수 있다고 믿습니다. 거시경제학이든 미시경제학이든 서로 갈등하고 대립하는 사회 문제를 경제 문제로 보고 거기서부터 해결의 실마리를 얻으려 합니다. 그러나 권력이든 돈이든 또는 기술이나 문화든 그것이 사회를 변화시키는 데 일정 부분 기여할 수는 있으나 전부는 아닙니다.

과연 권력만 획득하면 세상을 변화시킬 수 있을까요? 세상이 바뀔까요? 나는 오랫동안 권력이 이 세상을 바꿀 수 있다고 믿었고, 더 나은 삶으로 인도할 수 있다고 믿었던 사람이라 오히려 그렇지 않음을 너무나 절감할 수 있었습니다. 대통령 선거를 하고 새로운 정권이 창출될 때마다 세상의 변화를 기대했지만 그렇지 못했습니다. 권력을 획득해서 이 사회를 뿌리째 바꿔 놓겠다는 생각은 대단한 착각이요 순진한 생각인 것입니다.

한편, 호황기도 겪었고 굴욕적인 IMF도 겪었지만 경제가 이 사회를 본질적으로 바꿔 놓지는 못했습니다. 한복 입다가 양복 입고, 상투 틀다가 머리 자르는 것만큼의 변화가 있었을 뿐입니다. 현재 우리는 과거의 사람들이 즐기지 못하고 느끼지 못한 문화생활을 하지만 그것이 그들과 얼마나 큰 차이를 만들어 낼까요? 기원전이든 천 년 전이든 지금과 얼마나 다를까요?

인간의 본질적인 질문 세 가지

이념이든 빈부차든 권력을 가졌든 못 가졌든 인간은 다음의 본질적인 질문 앞에선 차별이 없습니다.

첫째는 '나는 누구인가?'입니다. 당신은 누구입니까? 누구누구의 어머니입니까? 어머니의 아들입니까? 어느 회사의 간부입니까? 어느 교회의 집사입니까? 그런데 이 모든 관계와 직함을 떼어 놓고 오로지 나 한 사람만 보았을 때 나는 누구입니까? 만일 나에게 이름조차 없다면 나는 누구라고 설명할 수 있습니까?

둘째는 '나는 왜 사는가?'입니다. 당신은 왜 삽니까? 왜 돈을 벌고 결혼하고 싶어 하고 성공하고 싶어 합니까?

마지막으로, '나는 죽으면 어디로 가는가?'입니다. 과연 사후 세계가 있을까요? 있다면 사후 세계는 나와 어떤 연관이 있는 걸까요?

그런데 이런 질문들은 사춘기 때 가장 심각하게 묻고 답을 찾고자 몸부림을 칩니다. 그러나 대학을 가고 취직을 해서 결혼을 하고 아기를 낳고 살다 보면 이런 질문들이 있는지조차 기억하지 못하게 됩니다. 생활에 쫓기다 보면 이런 질문들은 쓸데없는 것이 되어 버립니다.

그러다 이런 질문들이 다시 기억 속에서 끄집어 올려질 때가 있습니다. 언제입니까? 세상만사가 내 뜻대로 되지 않아서 절망스러울 때입니다. 남편이, 아내가 내 맘대로 안 됩니다. 자녀가 내 뜻대로 안 됩니다. 직장일이 내 뜻대로 안 됩니다. 그런데 사실 인생만사가 뜻대로 된다면 그것이 더 이상한 것입니다.

가장 마음대로 안 되는 사람들을 지척에 두고 사니 얼마나 힘이 듭니까! 하나님은 왜 가장 가까운 사람들을 통해서 내 뜻이 좌절되게 하시는 겁니까? 나는 이렇게 애쓰고 힘들게 살다가 저세상으로 가는 존재인가, 하는 순간 수면 아래 깊숙이 가라앉아 있던 이 질문들이 다시 부상하기 시작합니다.

'나는 누구인가? 나는 왜 사는가? 나는 죽으면 어디로 가는가?'

원대한 꿈과 비전을 향해 달리다가 문득문득 만나는 장애물에 걸려 넘어질 때면 우리는 다시 이 질문들을 하게 됩니다.

정치나 경제, 사회와 문화적인 접근으로는 이 질문들을 해결할 수 없습니다. 물질세계로는 해결할 수 없으니까 종교가 생겨났습니다. 인생만사가 마음먹은 대로 되지 않을 때, 뜻대로 되지 않을 때 사람들은 종교를 찾게 됩니다. 그러므로 종교에 귀의하는 사람들은 절망을 아는 사람들입니다.

그런 점에서 일찌감치 절망하고 비극을 경험해서 종교를 찾는 인생이 진정으로 축복받은 인생이라 할 수 있습니다. 인생의 모든 일이 마음먹은 대로, 뜻한 대로 이뤄져서 종교에 전혀 관심을 가질 필요가 없는 이는 그런 점에서 불행한 사람입니다. 실제로 젊은 시절에 실패의 쓰라림을 경험하면 만회할 시간도 있고 또 그 실패 자체가 부끄러운 일도 아닙니다. 그러나 중년이 훨씬 넘은 나이에 쓰라린 실패를 경험하면 만회할 시간도 없고 부끄러운 인생이 되기 쉽습니다.

어떤 시대나 인간은 종교에 관심을 가졌고 종교는 나름대로 인간의 본질적인 질문에 답해 왔습니다. 그러니까 모든 종교는 이 질문들에 대해 나름대로 답을 가지고 있습니다. 그런데 여기서 다시 어려운 관문이 시작됩니다. 모든 종교는 답을 쥐고 있지만 과연 어떤 답이 진짜인가 하는 중요한 관문이 남아 있는 것입니다.

종교는 답을 줄 수 없다

다음 질문에 답해 보기 바랍니다.

예수님은 기독교의 창시자이다. (O, X)

뭐라고 답했습니까? 예수님과 기독교는 관련이 있기도 하고 없기도 합니다. 사실 기독교는 어떤 종교보다 해악을 많이 끼쳤습니다. 수많은 종교 전쟁이 일어났고, 그로 인해 수많은 사람들이 목숨을 잃었고 씻을 수 없는 상처를 입었습니다. 그럼에도 불구하고 사람들은 예수를 욕하지 않습니다. 예수님을 하나님으로 경험하건 훌륭한 선생으로 경험하건 도덕적인 인간으로 경험하건 예수님에 대해서 욕하는 사람은 거의 없습니다. 다만 그분을 하나님으로 섬기는 사람들이 보여 주는 모습이 예수님과 거리가 멀기 때문에 기독교를 비난합니다.

나는 앞에서 예수님은 종교를 뛰어넘는 하나님이라고 말했습니다. 예수님은 오히려 종교를 없애기 위해 이 땅에 오셨습니다. 예수님은 자신에 대해 절대로 종교적으로 설명한 적이 없습니다. 또 예수님은 당시에 가장 종교적인 사람들에게 분노하셨습니다. 예수님은 종교에 대해서 반감을 가지셨을 뿐 아니라 당시 종교 엘리트들이나 종교 전문가들과 자주 논쟁하고 부딪치셨습니다.

나는 앞에서 기독교를 'meta religion'이라고 정의했습니다. 물질세계에서 답을 얻지 못한 사람들이 종교에서 답을 얻으려 했다고도 했습니다. 그런데 종교는 우리의 본질적인 질문에 답하는 데 실패했습니다. 여기서 중요한 문제가 시작됩니다.

종교적 시스템으로는 사회를 유토피아로 변화시키지 못한다는 것을 우리는 과거의 경험을 통해 이미 확인한 바 있습니다. 중국을 비롯한 동양 사회를 이끌던 유교와 불교가 그랬고, 서양 사회를 이끌던 기독교가 그랬습니다.

종교가 인간의 본질적인 질문에 분명한 답을 제시하지 못한다는 것을 인식할 때 우리는 비로소 예수님을 만날 수 있습니다.

예수님은 우리에게 다음의 세 가지 단어를 선물로 주셨습니다.

no mileage, no credit, no point.

종교는 정치 경제 사회 문화 교육과 마찬가지로 하나의 영역으로 존재하고 있습니다. 그런 점에서 종교는 정치나 경제와 마찬가지로 하나의 시스템에 불과합니다.

만원 버스에서 앉아 가는 사람과 서서 가는 사람의 불평등을 어떻게 해결할 것인가는 종교의 영역에 가도 고민되는 문제입니다.

내가 죽어서 천국에 갈 것인가, 지옥에 갈 것인가? 천국에 간다면 퍼스트클래스first class에 앉을 것인가, 비즈니스나 이코노미석에 앉을 것인가? 이처럼 종교는 세상과 마찬가지로 모든 것에 계급적 차별을 두는 데 익숙합니다.

그러나 하나님 나라에는 이 같은 계급적 차별이 없습니다. 예수님은 이 땅에 오셔서 하나님 나라를 선포하셨습니다. 아니, 하나님 나라를 이끌고 이 땅에 내려오셨습니다. 우리가 찾아가는 천국이 아니라 예수님이 우리 속으로 천국을 끌고 내려오셔서 보여 주셨습니다. 그리고 천국은 우리가 죽어서 가는 곳이기 때문에 이생에서 천국에 갈 만한 마일리지를 획득해야 한다는 우리의 생각을 여지없이 무너뜨리셨습니다. no mileage, no credit을 선언하신 것입니다. 당시로서는 그야말로 폭탄선언이었습니다.

예수님이 "율법을 지켜서는 천국에 갈 만한 사람이 없다"고 했을 때 유대인들은 얼마나 충격이 컸겠습니까? 특히 제사장과 율법학자들은 얼마나 분노했겠습니까? 그들은 "예수 네가 뭔데 우리의 마일리지를 아무 짝에도 소용없는 것으로 만드느냐"고 흥분했습니다.

그런데 만일 천국이 일종의 마일리지 시스템으로 가는 곳이라면 우리는 지금부터 정말 열심히 살아야 합니다. 열심히 새벽기도하고, 열심히 헌신하고, 열심히 헌금해야 합니다. 예수님은 이런 행위가 의미 없다고 한 것이 아니라 그런 것으로는 천국에 가지 못한다고 한 것입니다. 천국은 우리가 노력해서 가는 곳이 아니기 때문입니다. 상상할 수 없는 노력으로 그 누구보다 높은 마일리지를 쌓아도 천국에 가기에는 태부족이기 때문입니다.

예를 들어 대한해협을 수영으로 건넌 조오련이라도 태평양을 건널 엄두는 내지 못합니다. 왜 그렇습니까? 태평양은 수영으로 건널 만한 곳이 아니기 때문입니다. 수영으로 태평양을 건너 미국에 가려는 것이 미친 짓이듯이 세상 마일리지를 쌓아 천국 가겠다는 생각 또한 미친 짓입니다.

예수님은 천국은 마일리지를 쌓아서 가는 곳이 아니요, 수영해서 갈 수 있는 곳도 아님을 가르쳐 주셨습니다. 예수님이 입국 비자 찍어 줄 테니 비행기 타고 천국에 오라는데도 사람들은 굳이 수영해서 건너려 하고 비행기를 타서도 편안히 앉지 못하고 뭐라도 해야 한다며 뛰어 다닙니다. 비행기가 천국까지 데려다 준다는데도 자기가 뛰어야 거리를 단축할 수 있다고 우기는 것입니다. 코미디도 이런 코미디가 없습니다.

우리가 예수님을 이해하려면 먼저 인간적인 어떤 노력도 천국 가는 조건이 될 수 없음을 알아야 합니다. 우리 안에서는 어떤 조건도 만들 수 없어서 예수님이 선물로 주시려고 오셨음을 믿어야 합니다. 몇 십 년 좌선을 하고 머리 깎고 출가하고 신부가 된다고 해서 천국 갈 수 있는 것이 아닙니다. 천국은 오로지 예수님 안에 숨겨진 비밀입니다. 예수님은 이 비밀을 알려 주시기 위해, 하나님 나라를 주시기 위해 이 땅에 오셨습니다. 그러나 그분의 말씀을 믿고 안 믿고는 전적으로 우리 각자가 선택할 일입니다.

예수님은 마일리지 시스템을 걷어치웠다

그런데 사람들은 거저 주는 천국은 감당하지 못하겠다고 말합니다. 명색이 대학도 나왔고 박사학위도 받았는데, 어떻게 자존심 상하게 값없이 천국을 받겠냐는 것입니다. 또 믿기만 하면 모든 사람에게 거저 준다니까 천국은 별거 아니라고 생각합니다. 많이 배운 사람일수록, 자기가 대단한 사람이라고 생각하는 사람일수록 복음을 받아들이지 못합니다. 그래서 예수님이 오셨을 때도, 초대교회가 복음을 전했을 때도 복음을 받아들이고 구원받은 사람은 대체로 하층민들이었습니다. 가난하고 소외된 사람들이었습니다.

예수님은 석가모니처럼 왕족의 신분으로 이 땅에 오시지 않았습니다. 다윗 집안의 자손이지만 축복받으며 태어나지도 못했습니다. 세상에서 가장 낮은 곳 마구간에서 태어나셨습니다. 예수님이 가장 낮은 신분으로 오셨기에 가난하고 소외되고 불쌍한 사람들에게 다가갈 수 있었습니다. 또 그들도 아무런 거부감 없이, 거리낌 없이 예수님께 다가올 수 있었습니다. 예수님은 모든 사람에게 차별 없이 천국을 주기 위해 차별이 당연한 이 땅에 오신 것입니다.

십자가 처형은 당시로선 가장 비참한 죽음이었고 가장 무거운 처벌이었습니다. 생각해 보십시오. 낮이면 온도가 40~45℃까지 오르는 중동 지역에서 무거운 십자가를 짊어지고 골고다 언덕까지 올라가서 못을 손과 발에 박아 십자가에 달리는 고통이 얼마나 크겠습니까? 못 박은 손과 발에서는 피가 철철 흐르고, 시간이 지나면서 온몸의 피를 남김없이 쏟아 내고 숨이 끊어지는 그 고통을 상상이나 할 수 있겠습니까?

예수님은 그렇게 처참하게 죽어 갔습니다. 지금도 그렇지만 당시 유대인들은 이토록 비참하고 처참하게 죽어 가는 분이 하나님이라는 걸 도저히 믿을 수 없었습니다. 유대인이 믿건 안 믿건, 세상 사람들이 믿건 안 믿건, 십자가 사건은 스스로 구원할 수 없는 인간의 문제를 해결하기 위해 하나님이 직접 짊어지신 고난의 사건이었습니다. 이것은 분명한 역사적 사실입니다. 이것이 사실이 아니라면 내가 지금 무슨 주장을 하든 다 소용없는 일입니다. 그리고 이것이 사실이라면 그 사건이 현재 우리와 밀접하게 상관있는 일임을 알게 됩니다. 이 사실을 아는 순간 어떤 사람은 눈물을 쏟을 것이고, 어떤 사람은 헌신을 다짐할 것이며, 어떤 사람은 새벽예배에 나오겠다고 결심할 것입니다.

그런데 중요한 것은 이 순서가 바뀌면 안 된다는 것입니다. 새벽예배에 나오고 헌금을 하고 예배를 드리기 때문에 구원이 이뤄지는 것이 아니라는 말입니다. 구원은 우리가 그런 결정을 하기 전에 이미 우리 모두에게 베풀어진 역사적인 사실입니다.

이 사실이 우리를 당혹스럽게 만듭니다. 내가 믿겠다고 결정하기도 전에 이미 구원이 베풀어졌고, 내가 어떤 수고와 노력도 하지 않았는데 이미 구원이 주어졌다는 것입니다. 이것이 곧 예수님의 실체입니다. 그분이 먼저 일방적으로 나를 찾아와서 아무것도 아닌 나에게, 정말 형편없는 나에게 구원을 베푸신 것입니다. 그리고 그분은 우리에게 묻습니다.

"이것을 네가 믿느냐?"

우리 안에서 이것이 믿어질 때 인생에 놀라운 변화가 일어납니다. 마치 길거리를 헤매는 거지를 임금이 왕궁으로 초청해서 깨끗하게 옷을 해 입히고는 왕자요 공주로서 임금과 함께 식사 자리에 앉게 되는 그런 변화입니다. 도무지 감당할 수 없는 변화가 순식간에 일어난 것입니다.

마틴 루터는 크리스천이 비크리스천보다 도덕적으로 우월하다는 교만을 버리지 않으면 안 된다고 했습니다. 믿으나 안 믿으나, 크리스천이거나 아니거나 우리는 모두 하나님의 관점에서 보면 거지입니다. 다만 크리스천은 밥을 어디 가야 얻어먹을 수 있는지를 아는 거지일 뿐입니다. 진짜 생명이 어디에 있는지 아는 거지인 것입니다. 예수가 생명을 값없이 내어 준 진짜 생명이며 진리라는 걸 아는 거지인 것입니다.

맛집 하나 알아 놨다고 목에 힘줄 수 있습니까? 그가 바른 사람이라면 주변의 이웃들에게 맛집을 소개하고 데려가 대접하는 것이 맞지 않습니까? 절대로 뭐 좀 더 안다고 목에 힘주는 거지가 되지 마십시오. 밥을 얻어먹으려면 깡통이 필요하다는 것 하나를 알았을 뿐이면서 목에 힘주지 마십시오. 깡통을 가지고 가나 그냥 가나 값없이 얻어먹기는 마찬가지입니다.

예수님을 알려면 '노 마일리지 시스템'no mileage system을 알고 믿어야 합니다. 세상은 '마일리지 시스템'mileage system에 길들여져 있죠. 공부를 하건, 직장 생활을 하건 열심히 해서 이코노믹economic class에서 비즈니스business class로 올라가는 것이 목적입니다. 갈수록 인생이 계층 상승을 위한 사다리 타기가 되고 있습니다.

이렇게 마일리지 시스템에 길들여진 세상에 예수님은 오히려 더 낮은 곳으로 내려오셨습니다. 그리고 자꾸 위로만 올라가려고 하는 사람들의 사다리를 걷어치워 버렸습니다. 그런 예수님을 만난 사람들은 노 마일리지 시스템으로 인생이 전환됩니다. 그래서 크리스천은 세상과 구별될 수밖에 없습니다. 교회는 세상과 전혀 다른 삶의 방식을 따르는 사람들의 공동체인 것입니다. 그런데 교회에서조차 마일리지 시스템을 따르는 것을 보면 경악하지 않을 수 없습니다. 예수님이 이 땅에 오셔서 사다리를 치워 버리고 계층으로 차별하는 것이 아니라 네트워크로 하나가 되는 공동체를 설계하신 교회가 다시 계층을 촘촘히 만들고 있다면 얼마나 한심한 일입니까?

'이미'의 사랑이 답이다

예수님이 새롭게 시작한 교회의 모형은 사실 가정입니다. 하나님이 우리에게 가정을 세상의 유일한 제도로 준 까닭은 그것이 하나님 나라이기 때문입니다. 훼손되기 전, 죄짓기 전의 가정은 하나님의 형상과 이미지를 가지고 있었으며 곧 하나님 나라이자 천국이었습니다.

우리 가족은 나만 바라봅니다. 내가 평생 벌고 모은 돈을 두 아들이 가장 많이 가져다 씁니다. 돈이 좀 남으면 아내가 씁니다. 나는 거의 쓰지 못합니다. 그런데 내가 억울해서 못 살겠다는 심정으로 이 이야기를 하고 있을까요? 분노에 차서 말하고 있을까요? 오히려 기뻐하며 이야기하고 있습니다. 이것이 바로 하나님 나라의 질서입니다. 내가 애써 벌어서 다 줘도 아깝지 않고 사랑하는 사람이 행복해할 때 내가 더 행복한 곳이 곧 하나님 나라입니다. 이것이 하나님 나라의 질서입니다.

예수님은 하나님 나라의 질서를 이 땅에서 회복시키기 위해 오셨습니다. 지금까지 애쓰며 모은 마일리지 필요 없으니 이제부터 나와 함께 새로 시작하자고 손 내밀기 위해 오셨습니다. 실제로 예수님은 이 땅에 새로운 질서를 세우기 시작하셨습니다.

"이전 것은 지나갔으니 보라 새 것이 되었도다" 고후 5:17

여기서 새 것이란 영어로 new creation입니다. 새로운 창조물, 새로운 피조물들과 이 일을 시작하신다는 것입니다. 우리 같은 새로운 피조물들로 질서를 새롭게 세우시겠다는 것입니다. 그런데 이렇게 고착된 마일리지 시스템에서 과연 그게 가능할까요? 결론부터 말하면 가능합니다. 예수님으로부터 시작된 혁명은 진정한 기적이 되었기 때문입니다.

내가 대학에서 정치학을 공부하건 경제학을 공부하건 나는 이 땅에 진정한 유토피아를 세울 수 없습니다. 그러나 예수님을 통해서는 가능하며 그것은 목숨을 걸 만한 일입니다. 우리는 아무런 대가를 바라지 않고 사랑하는 자녀와 가족을 위해 기꺼이 목숨을 내어 줄 수 있습니다. 그 이유는 내가 그들을 사랑하는 것으로 족하기 때문입니다.

"우리가 아직 죄인 되었을 때에 그리스도께서 우리를 위하여 죽으심으로 하나님께서 우리에 대한 자기의 사랑을 확증하셨느니라" 롬 5:8

우리는 자녀들이 학교에 다닐 때 우리가 번 것을 다 내어 줌으로써 자녀에 대한 우리의 사랑을 확증합니다. 이때 등록금 380만 원, 책값 10만 원, 용돈 5만 원, 이런 식으로 기록하지 않습니다. 우리는 이런 목록을 작성할지 몰라도 하나님은 기록하지 않습니다. 얼마가 들었건 따지지 않습니다. 하나님의 사랑은 폭포수처럼 쏟아 붓는 것이기 때문에, 그 사랑을 경험하는 순간 우리 인생이 달라집니다. 이전과 전혀 다른 삶의 행보를 보이기 시작합니다. 이를 두고 우리는 '회개'라 하기도 하고 '거듭났다' 하기도 합니다. 이렇게 거듭난 사람들이 모인 곳이 바로 교회입니다. 그러니 교회가 어떻게 세상과 구별되지 않을 수 있겠습니까? 만일 교회가 세상과 구별되지 않는다면, 세상의 마일리지 시스템을 그대로 따르고 있다면, 그것은 교회가 아닙니다.

이미 인정받은 사람은 인정받기 위해 애쓰는 사람과는 비교할 수 없는 삶을 삽니다. 기쁨이 비교가 되겠습니까, 열정이 비교가 되겠습니까, 헌신이 비교가 되겠습니까? 인정받기 위해 애쓰는 사람은 절대 이미 인정받은 사람이 누리는 기쁨과 열정과 헌신을 따라가지 못합니다. 그런데 우리는 예수님께 이미 인정받은 사람입니다. 예수님은 우리의 모습 그대로를 전적으로 인정해 주셨습니다. 그럼에도 예수님께 인정받기 위해 애쓰는 사람이 있습니다. 왜 그렇습니까? 삶의 짐이 너무 가벼워서 그렇습니까? 힘이 남아돌아 더 무거운 짐이 필요해서 그렇습니까?

"수고하고 무거운 짐 진 자들아 다 내게로 오라 내가 너희를 쉬게 하리라"마 11:28

"네 자녀가 짐이냐? 나한테 맡겨라."

"남편이 짐이냐? 나한테 맡겨."

"네 자신도 못 바꾸면서 누구를 바꾸겠다는 거니? 너 자신도 너한테 만족하지 못하면서 누가 너한테 만족하기를 바라니? 나한테 맡겨라."

예수님께 다 맡기십시오. 이미 인정받고도 인정받지 못한 사람처럼 수고하지 마십시오. 가벼워지십시오. 홀가분해지십시오.

예수님은 아무 값없이 자기 목숨을 내놓아 우리 죄를 해결해 주셨습니다. 우리는 이미 죄를 용서받았습니다. 내 죄에 대해 용서받았다는 확신이 없다면 지금의 나는 없습니다. 얼마나 많은 죄를 지었는지 이루 헤아릴 수 없지만 내게는 용서받았다는 확신이 있기 때문에 깃털처럼 가볍게 살 수 있습니다. 하나님은 그런 우리를 위해 잔치를 베풀기 원하십니다. 아버지 유산을 챙겨서 집을 나가 재산 다 털어먹고 빈손으로 돌아온 탕자 아들에게 잔치부터 베풀어 축하해 준 아버지의 마음이 우리를 향한 하나님의 마음입니다.

우리가 자랑할 것은 하나님께 인정받기 위해 수고하고 노력해서 쌓아 놓은 마일리지가 아닙니다. 하나님 앞에서는 우리가 이력서에 아무리 긴 경력을 써 내려간다 해도 화장실 휴지만도 못한 낙서 종이를 펼쳐 놓는 것처럼 우스운 일입니다. 우리는 단지 거리에서 만나는 거지들에게 한 번 먹으면 영원히 배고프지 않는 생명을 채워 주시는 분을 소개할 수 있을 뿐입니다. 일생 죄의식과 죄책감에 시달리는 사람들에게 그 무거운 죄의 짐을 내다버릴 수 있는 곳을 소개할 수 있을 뿐입니다. 내가 한 일은 실제 아무것도 없습니다.

기억하십시오. 하나님 앞에서는 'no mileage, no credit, no point'입니다. 이것을 선물로 주신 하나님께 기쁨으로 나아가기를 바랍니다.

3강

FREEDOM
자유

하나님을 만난 사람은 자유롭다

우리는 하나님이 이 세상 만물을 창조하셨다고 믿습니다. 그러나 진화론을 믿는 사람들에게 창조론은 정말 황당무계하게 보입니다. 눈에 보이지 않는 하나님이 어디 있으며, 이 복잡한 생태계를 어떻게 창조했 겠느냐는 것입니다. 그러나 생명의 세계를 알면 알수록 그 놀라운 신비 가 우연히 탄생해서 고등생물로 진화했다는 진화론이야말로 인간이 만 들어 낸 허구에 지나지 않는다는 걸 알게 됩니다. 그러나 창조론이든 진 화론이든 과학적으로 100% 검증할 수 없습니다. 진화론도 믿음이고 창 조론도 믿음일 뿐입니다.

하나님은 에덴동산에 인간이 살 수 있는 모든 환경을 조성하신 뒤 인간이 거기서 마음껏 살도록 허락하셨습니다. 거의 완벽한 자유를 허 락하신 것입니다. 그런데 딱 한 가지 선과 악을 알게 하는 나무의 과실은 먹지 말라는 금기를 주셨습니다. 하나님은 우리에게 모든 것을 할 수 있는 자유를 주셨는데, 단 한 가지 선과 악을 판단하는 것은 하지 말라고 하셨습니다. 그런데 이 금기는 자유를 제한한 것이 아니라 모든 자유 위에 주신 선물이었습니다.

자유를 갈망하다 중독에 빠지다

여러분은 인생에서 가장 큰 선물이 무엇입니까? 여러분은 지금 무엇을 소망하고 있습니까? 가장 갈급하게 열망하는 것이 무엇입니까? 어렸을 때는 무엇을 갈망했습니까? 청년기에 가장 하고 싶었던 게 무엇입니까?

나는 어렸을 때부터 항상 가출을 꿈꿨습니다. 사사건건 잔소리로 가득한 이 지옥 같은 집을 벗어나서 내 마음대로 살고 싶었습니다. 왜 그랬을까요? 나는 아버지를 일찍 여의고 어머니 슬하에서 자랐는데, 어머니는 아버지의 빈자리를 당신이 대신해야 한다는 부담감과 책임감이 대단했습니다. 그 때문에 성 정체성에 혼란을 느낄 정도였습니다. 어머니는 목소리가 웬만한 장정보다 컸고 우렁찼는데 나를 혼낼 때는 아버지처럼 무섭게 꾸짖고 때리셨습니다. 그러나 이내 나를 껴안고 우실 때는 여느 엄마와 다르지 않았습니다. 어머니는 아비 없는 자식 소리 듣게 하기 싫어서 내게 아버지처럼 무섭게 굴었지만, 매를 내려놓기가 무섭게 아픈 가슴을 쓸어 내리며 저를 껴안고 통곡하셨습니다. 어떻게 해야 아들을 제대로 키우나 혼자서 몹시도 혼란스러우셨을 것입니다. 이런 어머니 덕분에 나는 아버지 사랑과 어머니 사랑 어느 쪽도 충분히 경험하지 못한 채 어린 시절을 보내야 했습니다. 악몽 같았죠. 자라면서 몇 번 가출도 해보았습니다. 그러나 집을 나와 친구 집에 며칠 묵고 나면 금방 눈치가 보여서 집으로 돌아가야 했습니다. 늘 후회했지만 나는 이내 또다시 가출을 꿈꿨고 자유를 갈망했습니다.

대학을 졸업하고 직장을 구할 때도 나의 기준은 과연 이 직장이 얼마나 자유로울 것인가였습니다. 그 결과 신문사 기자가 되고 싶었습니다. 내 생각을 글로 표현할 수 있고 비판적인 글도 자유롭게 쓸 수 있겠다 싶었기 때문입니다. 그러나 나보다 먼저 언론사에 입사한 친구가 이제 신문의 시대는 지고 방송의 시대가 온다면서 내게 방송사에 들어갈 것을 적극 권했습니다. 그 친구 덕분에 나는 1978년 MBC에 입사하게 되었고 이후 25년간 언론인으로 살게 되었습니다.

그런데 처음 수습 기간 동안은 당시는 MBC와 분사되지 않았던 경향신문에서 일했습니다. 하루 종일 취재하다 돌아오면 이른바 수습일지를 써야 했는데, 동료들은 한두 장 채우는 것도 골머리를 썩이던 것을 나는 대여섯 장에 걸쳐 빽빽하게 써 내곤 했습니다. 글 쓰는 데는 이미 익숙해져 있었던 덕분이지요. 5년간 대학원을 다니면서 논문도 꽤 썼지만 아르바이트로 대필 논문을 몇 편 쓰기도 했습니다. 당시에는 학비와 용돈에 도움이 되었지만 나중에는 이런저런 글을 쓰는 데 큰 밑거름이 되었습니다.

　매일 수습일지를 몇 장씩 써 내니까 신문사에서는 내가 당연히 신문사에 남을 것으로 기대했던 모양입니다. 그런데 마지막 순간에 내가 방송국을 지망하니까 수습일지를 그렇게 장문으로 써서 선배들을 피곤하게 만들었다는 이유로 구박을 많이 받았습니다.

　그렇게 우여곡절 끝에 들어간 방송국은 과연 나의 기대대로 자유로운 곳이었을까요? 결론을 말하면 그렇게 썩 자유롭지 않았습니다.

　방송국에서 일할 때 가장 쓴맛을 본 사건이 있습니다. 어느 유명한 아파트가 부실공사를 해서 목욕탕이 무너지면서 목욕하던 주민이 크게 다친 사건이 있었습니다. 취재하러 아파트 현장에 가 보니 얼마나 엉터리로 공사했는지 옥상에서 내려다보니 베란다가 들쭉날쭉한 것이 한눈에도 날림 공사임을 알 수 있었습니다. 취재하는 도중에는 엘리베이터가 멈춰 서서 한 시간 이상 갇혀 있었습니다. 현장에는 아직 하자 보수 기간이라 철수하지 않은 관리소장이 나와 있었는데, 내가 취재하러 온 것을 눈치채고 억지로 사무실로 끌고 가 기사를 쓰지 말라고 회유하고 협박조로 윽박질렀습니다. 나중에는 내가 취재한 기사를 내지 않는 것을 조건으로 거액이 든 돈 봉투를 내밀었습니다. 당시 얼마 되지 않는 월급에 비하면 어마어마한 돈이었습니다. 그러나 꿈과 열정을 품고 기자 생활을 시작한 나로서는 속에서 무엇인가 치밀어 오르는 것을 억누를 수 없었습니다.

　"나는 당신같이 돈으로 모든 문제를 해결하는 사람을 그냥 두지 않으려고 기자가 된 사람입니다. 이 기회에 당신이 세상만사 돈만 있으면 다 된다는 생각을 제발 깰 수 있었으면 좋겠습니다. 돈으로 안 되는 일도 있다는 걸 분명히 알 수 있었으면 좋겠습니다."

이렇게 큰소리 치고 기사를 썼는데 그 기사는 결국 방송되지 않았습니다. 현장소장이 내밀었던 그 현금 봉투는 내 윗선의 간부에게 전달됐습니다. 비아냥거리는 듯한 얼굴로 나를 쳐다보는 현장소장과 회사 현관 입구에서 마주쳤습니다. 이 사건은 아직 정의감과 열정으로 꿈틀거렸던 내게 큰 충격과 실망을 안겨 주었습니다.

이후로도 열심히 취재해서 원고까지 작성했으나 끝내 방송되지 않은 일이 이따금 속을 뒤집어 놓았습니다. 김영삼 정권 때인 것으로 기억합니다. 청와대 출입 기자 시절 정부 정책의 시시비비를 가리는 기사를 딱 열 번만 쓰고 내 발로 걸어 나가자고 작심한 적이 있습니다. 그러나 열 번이 아니라 그 반도 채우지 못하고 출입기자 생활을 마감해야 했습니다.

어릴 때부터 자유를 갈망하다 선택한 언론사 일은 나의 기대만큼 자유롭지 못했습니다. 권력으로부터도 자유롭지 않았고, 돈으로부터도 자유롭지 않았으며, 선후배라는 학연과 지연으로부터도 자유롭지 않았습니다. 어디 언론사뿐이겠습니까? 우리 사회는 어디로부터도 자유로운 사회가 아닙니다. 또 어디를 가도 자유롭지 못하기는 마찬가지입니다.

어디서도 자유롭지 못한 사회에서 나는 여전히 자유를 갈망했고 자유에 대한 갈망은 마침내 방종으로 흘러갔습니다. 술을 일로 마시고 습관으로 마시다가 어느 날부터는 하루도 빠짐없이 술자리를 전전하는 술중독에 이르렀고, 주말마다 골프 치는 재미에 빠져 일주일 내내 골프 생각에 젖어 사는 골프중독이 되었고, 돈 몇 푼 따는 맛에 시간 날 때마다 화투나 카드를 잡다가 노름중독에 빠졌습니다. 주어진 일을 큰 문제 없이 해내니까 겉보기엔 멀쩡했지만 내 인생은 깊이 곪아 가고 있었습니다.

무엇이든 마음대로 하고 싶다는 욕구가 생긴다면 조심하십시오. 마음대로 하고 싶은 것을 하는 것은 자유가 아닙니다. 그것은 점차 방종이 되어서 어느 순간 나를 중독에 빠뜨리고 결국은 내 가정을 파괴하고 인생을 망가뜨립니다.

어린아이도 예외가 아니어서 요즘은 게임중독에 빠진 아이들이 많습니다. 그런데 이미 게임중독에 빠진 어린 자녀를 빠져나오게 하는 방법은 무엇일까요? 부모가 화를 내고 야단을 치고 매를 든다고 중독을 끊을 수 있을까요? 이미 중독에 빠진 아이를 부모가 구할 방법은 없습니다. 스스로 끊어야겠다고 독하게 결심할 때까지는 부모가 해줄 수 있는 일이 없습니다.

하고 싶을 때마다, 마음먹을 때마다 자유롭게 하기를 추구하는 인생의 결과는 이렇듯 심각한 파괴를 가져옵니다. 주부들의 쇼핑중독은 어떻습니까? 보는 대로, 마음에 끌리는 대로 물건을 손에 넣어야 직성이 풀리는 것이 바로 쇼핑중독입니다. 쇼핑에 중독된 사람들은 막상 물건을 손에 넣으면 시들해져서 한쪽 구석에 쌓아 두기 십상입니다. 그들에게 쇼핑은 꼭 있어야 하는 물건을 사는 행위가 아니라 그냥 충동대로 마음껏 사기 위해서 하는 행동이기 때문입니다. 이처럼 자유롭고 싶다는, 마음대로 하고 싶다는 열망은 오히려 그와 정반대의 결과를 초래합니다. 오히려 자유를 앗아 가고 내 마음의 주인이 아니라 내 충동의 노예로 전락시킵니다.

금기를 욕망하면 자유를 빼앗긴다

그렇다면 자유는 무엇일까요? 하나님은 천지만물을 창조하시고 인간을 지으신 뒤 우리에게 자유를 주셨습니다. 그러나 단 한 가지, 선과 악을 알게 하는 선악과만 금지시키셨습니다. 앞에서도 말했지만 이 금기는 하나님이 우리를 사랑해서 주신 선물이었습니다.

그런데 인간은 이 금기까지 손에 쥐어야 온전한 자유를 누리는 것이라고 착각했습니다. 절대적인 자유를 갈망했던 것입니다. 사탄이 선악과를 먹으면 하나님처럼 된다고 유혹하자 인간은 그것을 탐했고, 그 결과 에덴동산에서 쫓겨나 하나님과 유리되었습니다. 하나님이 선물로 주신 금기의 진정한 동기를 의심함으로써 우리는 자기중심적인 죄인의 삶을 살아야 했습니다.

사사기는 이스라엘의 450년 역사를 기록한 책인데, 사사기에서 계속 반복되는 이슈 중 하나가 바로 '당시 왕이 없어서 사람들이 자기 생각에 좋은 대로 행했다'는 것입니다. 포스트모더니즘 시대인 오늘날은 어떻습니까? 포스트모더니즘은 세상에는 절대적인 기준도 절대적인 진리도 없다고 주장합니다. 그렇기 때문에 우리 각자가 진리이며 따라서 각자가 행복하다고 느끼는 대로 살면 된다고 말합니다. 신이 죽었다고 선언하면서 자기 소견대로 살라고 합니다. 오늘날 우리의 모습은 어떻습니까? 사사기의 이스라엘 백성과 같지 않습니까? 하나님은 이들의 모습을 보고 개탄하셨습니다.

오랫동안 신본주의를 따르던 인간이 20세기 들어 인본주의의 꽃을 활짝 피웠습니다. 절대적 진리인 하나님이 아니라 인간의 이성과 과학을 신봉하기 시작한 것입니다. 그런데 그 결과는 무엇입니까? 두 번에 걸친 세계대전입니다. 그리고 변혁과 성장은 교육에 있다고 믿은 결과 인류는 이데올로기의 역습을 당하고 말았습니다.

나는 이데올로기^{ideology}란 사람의 아이디어^{idea}를 아이돌^{idol}로 만드는 것이라고 믿습니다. 다시 말해 사람의 생각을 우상화하는 것입니다. 공산주의, 사회주의, 민주주의, 자본주의가 절대화되고 신격화되는 것입니다. 이 수많은 이데올로기가 세상을 망치고 있습니다.

히틀러의 인종주의는 유대인 600만 명의 목숨을 앗아 갔습니다. 유대인 학살은 고비노 ^{Arthur Gobineau}라는 프랑스 인류학자의 논문에서 시작되었습니다. 논문 주제는 인간 불평등 기원론이었습니다. 그는 인간은 결코 평등하게 창조되지 않았다고 주장했고, 이 주장으로부터 아리안족은 특별히 선택받은 민족이라는 터무니없는 주장이 아무 분별 없이 확산됐습니다. 그리고 이 터무니없는 주장은 결국 유대인을 공공연하게 학살하도록 방치했습니다.

절대자 앞에 선 인간은 어느 누구도 예외 없이 동등한 존재입니다. 이것이 성경의 가르침입니다. 하나님은 우리를 하나님의 형상에 따라 창조하셨습니다. 특별히 선택받은 사람도 버림받은 사람도 없습니다.

프롤레타리아 계급혁명을 불러일으킨 공산주의는 어떻습니까? 공산주의가 불러온 학살과 전쟁으로 수많은 사람들이 목숨을 잃었습니다. 한국전쟁도 이데올로기 전쟁이었습니다. 인간은 절대자를 떠나 이성을 신격화하고 신뢰했지만 이성은 인간의 자유를 극대화해 주기는커녕 오히려 서로의 목숨을 노리는 칼이 되었습니다.

철학자 헤겔Georg Hegel은 인류 역사를 인간의 자유를 확장하기 위한 투쟁의 역사로 보았습니다. 어떤 측면에서는 맞는 말입니다. 그러나 과연 인간이 이전보다 더 자유롭고 행복한 삶으로 발전했을까요? 500년 전, 천 년 전보다 정말로 더 자유로워졌습니까? 더 행복해졌습니까? 한 가지 분명한 것은 우리가 살고 있는 지금이 그 어느 때보다 훨씬 바빠졌다는 사실입니다.

오늘날 우리는 실제로 바쁘기도 하지만 설사 그렇지 않아도 바빠야 할 것처럼 쫓기는 삶을 삽니다. 바쁘지 않으면 마치 죄를 짓는 것처럼 불안해합니다. 이것은 무엇을 의미합니까? 자유롭지 않다는 뜻입니다. 시간에 묶이고 공간에 묶이고 관계에 묶여서 살고 있다는 뜻입니다. 오늘날 우리의 현실을 돌아볼 때 과연 인류는 진정한 발전의 역사를 쓰고 있다고 말할 수 있을까요?

하나님은 우리에게 한 가지만 제외하고 모든 것을 누릴 수 있는 자유를 주셨습니다. 그러나 한 가지 금기를 욕망함으로써 인간은 모든 것을 누릴 수 있는 자유를 빼앗기고 말았습니다. 선과 악을 판단하는 절대자의 자리를 넘볼 때 인간은 허용된 자유마저 빼앗기고 마는 것입니다.

최선을 주셨지만 차선을 탐낸 결과

그런데 하나님은 인간을 시기해서 한 가지 예외를 두신 걸까요? 그렇지 않습니다. 하나님은 우리에게 모든 것에 자유할 것을 허락하셨습니다. 그러나 이것 한 가지는 반드시 기억하라고 하셨습니다. 바로 '나는 창조자이고 너는 피조물'이라는 사실입니다. 선과 악을 판단하는 선악과를 따먹지 말라는 금기는 바로 이 사실을 잊지 말라는 당부였습니다. 하나님은 시간과 공간의 제약을 받지 않는 분이지만, 인간은 시간과 공간에 갇힌 존재입니다. 시간적으로 보면 인간은 지극히 짧은 순간적 존재입니다. 공간적으로도 지극히 제한된 삶을 삽니다. 이 공간에 있으면서 다른 공간을 살 수 없습니다. 그렇게 시간과 공간에 갇힌 존재가 어느 것에도 제한받지 않는 절대자가 갖고 있는 선악의 기준을 가질 수 없습니다. 그렇기 때문에 우리가 옳고 그름을 판단하는 것 자체가 문제가 됩니다.

"저 사람 틀렸어!"

여기서 틀렸다는 기준이 뭡니까? 첫째, 내가 기준입니다. 둘째, 그 사람을 잘 모르기 때문에 그렇게 말할 수 있습니다. 인디언 속담에 "그 사람의 신발을 신고 5리를 걸어 보기 전까지는 그 사람을 비판하지 말라"는 말이 있습니다. 어쩌면 우리는 그 사람의 신발을 신고 그 사람의 생애를 살았다면 그 사람처럼 살 수밖에 없는 존재일지도 모릅니다. 내가 그 시간에 그 자리에 있지 않았다는 이유로 그 사람을 비판할 수 없다는 말입니다.

신혼부부들은 자주 싸웁니다. 살아온 배경과 생활방식이 다른 사람들이 만나 한 가정을 이루려면 싸우고 갈등하는 것이 당연합니다. 그런데 이 당연한 다툼을 시시비비를 가려 승부를 보려 들면 골치 아파집니다. 부부 간의 갈등은 옳고 그름의 문제가 아니라 익숙한 것과 익숙하지 않은 것의 충돌일 뿐이기 때문입니다.

나는 교회에 다니면서 가장 적응하기 어려웠던 것이 기독교에서만 사용하는 용어였습니다. 예를 들어, 집사님 장로님과 같은 호칭을 비롯해 기도 중에 하는 '아멘'이나 목사님이 설교 중에 종종 간투사間投詞처럼 외치는 '할렐루야' 같은 것들입니다. 지금도 믿지 않는 사람들에게 교회 내의 문화는 낯설고 때로 불편할 수 있습니다. 그러나 그것은 익숙하지 않은 것에 대한 불편함일 뿐입니다. 옳고 그름의 문제가 아니라는 얘기입니다.

나와 다르다는 이유로 그렇게 매력적으로 보이던 연인과 결혼했지만, 살아 보니 그 다름 때문에 지옥이 따로 없다고 비명을 질러 댑니다. 왜 그렇습니까? 다름을 틀렸다고 정죄하는 습성 때문입니다. 그러므로 틀린 것은 없습니다. 다를 뿐입니다. 다른 것을 옳고 그름으로 분별할 때 지옥을 살게 되는 것입니다.

우리를 너무나 사랑하시는 하나님이 설마 우리를 시기해서 금기를 두셨겠습니까? 부모는 아이가 먹어서는 안 될 약을 집 안에 두면서 절대로 먹지 말라고 아이에게 당부합니다. 해골 표시 같은 걸로 특별히 표시해서 절대 손도 대지 말라고 금합니다. 그리고 자녀의 손이 닿지 않는 곳에 보관합니다. 왜 그렇습니까? 자녀를 사랑하기 때문입니다. 그것이 아이에겐 치명적이기 때문에 각별히 금지하는 것입니다. 이것이 어떻게 아이의 자유를 제한하는 것이겠습니까? 그런데 아이는 이 특별한 금기를 자유를 속박하는 행위로 받아들입니다. '마음껏'을 제한하는 심술로 받아들입니다. 부모의 사랑을 의심한 아이는 절대적 기준을 무시하기 시작했고, 그 순간 아이는 생존에 필요한 모든 기준을 잃어버렸습니다.

절대적 기준을 잃어버리면 상대적 기준은 아무 의미가 없습니다. 포스트모더니즘은 네 기준이나 내 기준이나 무슨 큰 차이가 있냐고 주장합니다. 절대적 기준을 잃고 상대적 기준만 난무할 때 필연적으로 공동체를 지키는 가치관이 붕괴되고 도덕과 윤리가 붕괴됩니다. 믿음을 저버린 인간에게 닥친 불행입니다.

하나님은 우리에게 최선을 주셨건만 우리는 차선을 탐냈습니다.

그 탐심은 쾌락을 향한 것이었습니다. 쾌락을 향한 탐심은 진정한 기쁨을 잃게 만들고 결국 중독의 덫으로 이끌고 갑니다.

나는 아직 40일 금식은 못 해봤습니다. 대신 30일 금식을 해보았는데, 하고 나서 우리의 혀가 심하게 오염되었다는 것을 절실히 깨달았습니다. 평소 나는 방울토마토를 싫어해서 먹지 않았는데 한 달간 금식한 뒤 먹으니 그렇게 맛있을 수가 없었습니다. 단지 한 달간 금식했을 뿐인데 오염되고 타락한 나의 혀가 새롭게 태어나는 것 같았습니다. 그러나 다시 한 달이 지나자 어느새 매운 고추장에 익숙해지고 MSG에 오염되어 간이 세지고 조미료에 길들여졌습니다. 땅이 준 그대로 먹어도 되는 음식을 볶고 튀기고 삶고 조미료를 가미해서 본연의 맛을 잃어버리는 것입니다.

우리 인생도 마찬가지가 아닐까 생각해 봅니다. 하나님이 주신 본래 모습 그대로도 충분히 아름답고 멋진데 탐심으로 이것저것 가미해서 본연의 맛을 잃어버린 것이 아닐까요? 온갖 것들로 치장함으로써 진정으로 드러내고 빛내야 할 것을 가리고 있지는 않은지 돌아보게 됩니다.

점점 더 자유해지는가?

1789년 프랑스 혁명이 일어났을 때, 사람들은 '자유, 평등, 박애'를 기치로 내걸고 싸웠습니다. 당시에 자유를 갈망하던 사람은 누구일까요? 귀족 계층을 보며 항상 상대적 박탈감에 시달리던 평민들과 소작에 매어 살던 농노들이 아닐까요? 그들은 어떻게든지 속박의 신분에서 벗어나 자유인이 되고 싶었을 것입니다. 성경을 보면 노예 신분에서 해방되는 엑소더스exodus에서 신앙의 물줄기가 형성되는 것을 봅니다. 그런 점에서 우리가 궁극적으로 추구해야 할 가치는 자유라고 할 수 있습니다. 그런데 그 자유는 예수님을 만나야 하고 그분에게서 답을 얻어야 누릴 수 있는 것입니다.

나는 자유로운 직장을 찾아 방송국에 들어갔지만 그곳은 또 다른 형태의 감옥이었습니다. 내가 전적으로 동의할 수 없는 준거의 틀에 갇힌 감옥이었고 수많은 관계망의 그물에 갇힌 감옥이었습니다. 매일 전하는 뉴스는 들으면 들을수록, 알면 알수록 스트레스가 되었습니다. 그리고 그 뉴스를 전하는 방송국의 시스템은 그야말로 거대한 올가미였습니다. 사람들은 각자가 살아남기 위해 죽을힘을 다했습니다. 술자리에 가면 술을 마시고 안 마시고를 마음대로 선택할 수 없던 때였습니다. 술자리조차 살든지 죽든지 택일해야 하는 전장이었습니다. 일단 잔이 돌아가면 무조건 마셔야 했고, 심지어 남녀를 가리지 않았습니다.

나는 어렸을 때부터 자유를 갈망했으나 그럴수록 깊은 수렁에 빠지기만 했습니다. 그러던 내가 예수님을 만났을 때, 가장 먼저 내 마음을 친 단어가 바로 '자유'였습니다.

"진리를 알지니 진리가 너희를 자유롭게 하리라"요 8:32

71

내가 너희에게 이른 이 말이 너희 가슴에 담기기만 하면 너희가 진정한 자유를 알게 될 것이고, 그러면 그 진리는 너희를 자유하게 할 것이라는 말씀입니다. 이 말씀을 읽고 내 가슴이 얼마나 뛰었는지 모릅니다. 지금까지 나는 자유를 좇았는데 그것은 세상의 지식이나 방식으로는 얻을 수 없는 것입니다. 예수님의 말씀을 가슴에 담고 그 진리대로 살면 자유하게 된다는 것입니다. 그래서 나는 과연 예수님의 말씀대로 살면 자유를 얻을 것인가를 실험하기 위해 다음의 세 가지를 결정했습니다.

첫째, 거짓말하지 않기.

둘째, 술을 끊기.

셋째, 아내의 말을 끝까지 들어 주기.

그리고 과연 하나님이 어떤 말씀을 하셨는지 알기 위해 부지런히 성경을 읽었습니다. 그러자 말씀이 내 안에서 화학반응을 일으키더니 지금까지 견지해 온 것들과는 전혀 다른 가치 기준을 만들기 시작했습니다. 말씀이 들어오면 우리가 얼마나 세상의 언어와 가치관에 오염되어 있는지를 깨닫게 됩니다. 그리고 하나님의 말씀은 세상의 것과는 전혀 다른 언어와 사고의 회로를 가지고 있음을 알게 됩니다. 물론 세상의 언어가 얼마나 우리를 무섭게 사로잡고 있는지도 알게 됩니다.

공자는 부지언不知言이면 무이지인無以知人이라고 했습니다. '그 사람의 말을 모르면 그 사람을 알 수 없다'는 뜻입니다. 사람을 안다는 것은 그 사람의 말을 안다는 것입니다. 다시 말해 그 사람의 말을 통해서 그 사람을 아는 것입니다.

헬렌 켈러 Helen Keller 는 청각 장애와 시각 장애를 가지고 태어났습니다. 부모는 천방지축인 헬렌 켈러를 도무지 다룰 수 없어서 설리번 Anne Sullivan 선생을 찾아갔습니다. 설리번 선생도 처음엔 도리가 없어 고심해야 했습니다. 그러던 어느 더운 날 우물가로 어린 헬렌 켈러를 데려가 아이의 손등에다 차가운 물을 계속 부으면서 'W, A, T, E, R'라는 글을 썼습니다. 나중에 헬렌 켈러는 이때를 기억하며 이렇게 고백했습니다.

"그날 내 손등을 시원하게 한 그 느낌이 물이라는 것을 알았을 때 내 인생에 새로운 빛이 임했다."

우리 인생에 섬광처럼 지나가는 빛을 우리는 직관이라고 말하지만 사실은 언어입니다. "하나님" 하고 부를 때 하나님이라는 언어가 곧 하나님입니다.

인생의 수많은 문제를 풀 수 있는 분은 오직 하나님뿐이라는 사실을 인정할 때 우리는 드디어 영적 여행을 시작하게 됩니다. 인간이 모든 문제를 주관하고 있고 해결할 수 있다는 생각에서 벗어나 하나님이야말로 모든 문제의 시작이고 끝임을 인정할 때 우리는 영적 여행을 떠나게 됩니다.

우리의 영적 여행을 위해 예수님이 이 땅에 오셨습니다. 진리인 말씀을 따라가 보면 유대인들이 만난 하나님이 아니라 우리 존재의 뿌리이고 생명의 근원이신 궁극적인 시작점에 이르게 됩니다. 이때 우리는 하나님의 존재를 인정하고 그분과 나의 관계를 이해하게 됩니다.

여러분은 여러분으로부터 시작되었습니까? 이 땅에 온 것이 여러분의 뜻이었습니까? 주변에 얽히고설킨 수많은 일들이 나로부터 시작되었습니까? 어느 것 하나 나로부터 시작된 것은 없습니다. 거슬러 올라가다 보면 이 모든 것이 하나님으로부터 시작되었음을 깨닫게 됩니다.

우리는 세상에서 일어나는 수많은 문제를 해결할 수 있는 수단을 갖고 싶어 합니다. 많은 사람들이 돈만 있으면 다 해결할 수 있다고 말합니다. 돈만 있으면 먹고 싶고 입고 싶고 갖고 싶은 모든 것을 가질 수 있고, 고통스런 모든 문제도 해결할 수 있다고 말합니다.

영국의 어느 기업가는 왜 돈을 버느냐는 질문에 "내가 하기 싫은 일을 남에게 시키기 위해서"라고 대답했다고 합니다. 그런데 그는 돈으로도 해결할 수 없는 일이 있다는 걸 깨달았는데 그것은 바로 인생의 소명을 발견하는 일이었습니다. 그것은 남에게 시켜서 찾을 수 있는 것이 아니었습니다. 나는 그 소명을 하나님 안에서 발견할 수 있다고 믿습니다.

많은 사람들이 하나님의 존재를 인정하지 않고 거부하는 인생길을 걷고 있습니다. 그것은 에덴동산에서 시작된 여행이었죠. 그러나 그 여행은 방황에 지나지 않습니다. 목적 없이 방황하는 삶에서 돌이켜 목적이 뚜렷한 삶으로 돌아가야 합니다. 우리는 이것을 가리켜 구원이라고 말합니다.

세상의 물질과 명예와 권력이 자유를 가져다줄 것 같지만 그것으로는 결코 자유에 이르지 못합니다. 그것은 오히려 자유에 이르는 길을 눈에 보이지 않게 만드는 속임수일 수 있습니다. 자유는 오로지 하나님 안에서만 누릴 수 있습니다.

최근에 어떤 사람이 급히 만나고 싶다고 해서 시간을 쪼개어 만나기로 했습니다. 그 사람은 돈도 가졌고 인기도 가졌고 힘도 가졌습니다. 그런데 불안하다고 했습니다. 나는 그에게 모든 소유를 다 팔아 가난한 사람에게 나눠 주고 교회에 오라고 말해 주고 싶었습니다. 예수님이 세상 것을 다 가지고도 불안한 청년에게 그렇게 말씀해 주셨기 때문입니다. 그러나 차마 입 밖으로 말하지 못했습니다.

우리는 우리가 가진 소유가 모든 문제를 해결할 수 없다는 걸 잘 압니다. 그런데도 그 소유를 버리지는 못합니다. 가난해져서 무시당할까 두렵기 때문입니다. 그런데 문제는 교회 다닌다고 해서 이 소유의 문제로부터 자유롭지 못하다는 것입니다. 아니 소유의 문제뿐 아니라 더 많은 문제들로부터 자유롭지 못합니다. 오히려 더 무거운 짐을 지우는 것이 현실입니다.

예수님은 "수고하고 무거운 짐 진 자들아 다 내게로 오라 내가 너희를 쉬게 하리라"고 우리를 초청하셨습니다. 그런데 우리는 왜 교회에 오면 더 무거운 짐을 지는 것 같습니까? 예수님 탓입니까? 우리가 예수님을 따르며 그분을 만났다는 것은 더 이상 세상적 기준에 묶이지 않고 자유해졌다는 것을 뜻합니다. 세상 사람들보다 더 자유해져야 하는데 우리는 그렇지 않습니다. 왜 그렇습니까?

하나님이 우리에게 자유를 주신 이유가 무엇입니까? 자유함을 얻을 때 우리 인생이 만개하기 때문입니다. 자유로울 때 가장 창의적이 되고 가장 뜨겁게 사랑할 수 있으며 가장 열정적일 수 있기 때문입니다. 만일 뜨겁던 우리의 열정이 식고 사랑이 식었다면 그것은 무언가에 억압되고 속박되어 있다는 뜻입니다. 그러므로 우리가 신앙생활을 잘하고 있나 못하고 있나의 기준은 딱 한 가지입니다. 바로 내가 점점 더 자유해지고 있는가, 아니면 더 무거운 짐에 허덕이고 있나를 살펴보는 것입니다. 아직도 사람들의 인정과 사랑을 받고 싶어 하는가, 이제 그런 것들로부터 자유로운가를 살펴보면 됩니다.

Escape from God에서 Freedom to God으로

교회에 와서 뭔가 얻고 싶습니까? 그러나 교회는 얻으러 오는 곳이 아니라 버리러 오는 곳입니다. 세상에서 얻은 지식과 지혜를 버리는 곳입니다.

내 속엔 내가 너무도 많아 당신의 쉴 곳 없네
내 속엔 헛된 바램들로 당신의 편할 곳 없네
내 속엔 내가 어쩔 수 없는 어둠 당신의 쉴 자리를 뺏고
내 속엔 내가 이길 수 없는 슬픔 무성한 가시나무숲 같네

〈가시나무〉^{하덕규 작사·곡}라는 노래의 가사입니다. 혹시 여러분의 상태가 이렇지 않습니까? 교회에 와서도 무성한 가시나무 숲 같은 어둠과 욕

심과 자아를 버리지 못해 안식할 수 없습니까? 예수님을 만난 사람들은 자유롭습니다. 예배를 드리고 기도하고 찬양하는 모든 것이 자유함에서 비롯됩니다.

예수님은 오늘날 우리가 교회에서 드리는 예배의 순서에 따라 예배를 드리지 않았습니다. 오늘날과 같은 닫힌 공간에서 예배드리지도 않았습니다. 그분은 성전 안에서만 기도하시지 않았습니다. 예수님은 하나님과의 교제, 하나님과의 만남, 하나님과의 동행이 전적으로 자유함에 있다는 것을 몸소 가르쳐 주셨습니다.

2차대전을 경험한 에리히 프롬Erich Fromm이 쓴 책《자유로부터의 도피》Escape from Freedom는 그토록 출중하고 탁월하며 논리적인 게르만 민족이 어떻게 히틀러 같은 작자한테 열광할 수 있느냐는 의문에서 출발하고 있습니다. 괴테Goethe와 실러Schiller, 바흐Bach와 베토벤Beethoven을 배출한 나라가 어떻게 히틀러 같은 광인에게 열광할 수 있는지, 그는 도무지 이해할 수 없었습니다. 이것을 끊임없이 질문한 그는 이런 결론에 도달했습니다. 자유를 누릴 수 있을 만큼 성숙하지 못한 사람들은 한결같이 자유를 부담스러워한다는 것입니다.

내가 목사로서 가장 쉽게 목회 활동을 할 수 있는 방법이 뭘까요? 성도들에게 아무런 자유도 허락하지 않는 것입니다. 몇 시까지 와라, 십일조를 반드시 해라, 이렇게 해라 저렇게 해라, 조금도 자유를 주지 않으면 목회가 쉬워집니다. 그러나 그것은 하나님의 방법이 아닙니다. 하나님은 막돼먹어서 아버지가 돌아가시기도 전에 유산을 미리 달라는 아들의 요구까지 들어주시는 아버지입니다. 집을 나가 그 돈을 흥청망청 탕진할 줄 알면서도 속아 주시는 아버지입니다. 이것이 하나님이 사랑하시는 방식입니다. 하나님의 사랑은 우리에게 최대한 자유를 허락하시는 사랑입니다. 그런데 우리는 질문합니다.

"왜 하나님께서 나한테 이런 자유를 주셨나?"

"왜 내가 악을 선택할 수 있는 자유까지 주셨나? 왜 선악과를 따먹을 줄 알면서도 선악과를 두셨나?"

"원천적으로 봉쇄하실 것이지 왜 이 세상에 악을 존재하게 하셨나?"

우리는 끊임없이 세상에 왜 악이 존재하는지를 묻습니다. 그런데 나는 이것을 묻는 사람들에게 그 악이 아직도 당신을 삼키지 않은 것에 감사하라고 말해 주고 싶습니다. 우리가 살아가는 모습을 보면 우리는 이 땅에 있어서는 안 될 사람이지 않습니까? 아직까지 이렇게 살아 있는 게 은혜이지 않습니까?

예수님은 하나님이 허락하신 이 자유를 회복시키러 오셨습니다. 이 자유는 말씀을 달게 먹을 때 회복됩니다. 자유가 회복되면 우리의 생명이 회복됩니다. 세상의 지식이나 학력, 재력은 우리를 살릴 수도 자유롭게 할 수도 없습니다. 자유는 하나님 안에서만 회복될 수 있습니다. 그러므로 오직 하나님께 돌아가야 진정한 자유를 누릴 수 있습니다.

그런 점에서 에리히 프롬이 쓴 'Escape from Freedom'은 'Escape from God'으로 바뀌어야 합니다. 우리가 부담스러워서 도망친 것은 자유가 아니라 하나님인 것입니다. 우리는 하나님이 부담스럽고 싫어서 그분으로부터 벗어나는 자유를 추구하지만, 진정한 자유는 그분 안에서만 회복될 수 있습니다. 그러므로 'Freedom to God', 하나님께 돌아가야 합니다.

하나님이 우리에게 자유를 주신 까닭은 전적으로 본인의 의지와 의사에 따라, 본인의 선택과 결정으로 하나님께 돌아오는 자유를 누리게 하기 위해서입니다. 이것이야말로 하나님이 우리에게 보여 주신 최고의 사랑입니다.

말씀이 우리 안에 들어오면 진리를 깨닫게 됩니다. 그것은 지금까지 사로잡혀 있던 모든 것들로부터 풀려나는 것을 뜻합니다. 내 생각과 가치관이 내 인생을 지배하고 라이프스타일을 만들던 오염된 인생을 버리는 것을 말합니다. 하나님의 말씀이 내 삶을 지배하고 라이프스타일을 만드는 인생으로 돌이키는 것을 말합니다. 이를 위해 예수님이 이 땅에 오셨습니다. 그분의 말씀이 임하지 않으면 우리는 세상의 모든 정보와 메시지 속에 갇힌 불쌍한 존재일 수밖에 없습니다. 이스라엘 백성이 애굽의 노예로 살았듯이 21세기의 환경에서 노예로 사는 것입니다. 노예로 사는 우리를 탈출시키려고 주님이 긴급 호출을 부르셨습니다. 그분의 말씀을 듣고 노예의 삶을 탈출한 사람들이 모인 공동체가 에클레시아ecclesia, 즉 교회입니다.

교회를 이룬 공동체는 건물도 아니고, 교단, 교파, 제도도 아닙니다. 하나님이 불러낸 사람들이 모인 곳일 뿐입니다. 그러나 이 사람들은 세상의 메시지가 아니라 하나님의 메시지를 통해 진리를 경험하는 사람들입니다. 여기서 진리란 상대적 기준이 아니라 절대적 기준을 말합니다. 그러므로 이들은 세상적인 상대적 기준이 아니라 하나님의 절대적 기준을 인정하고 따르기로 결단한 사람들입니다. 이 절대적 진리를 경험한 사람들은 자유함이라는 특별한 특징을 갖게 됩니다. 그들은 사람이 사람을 변화시킬 수 없음을 알기에 더 이상 누군가를 나의 기준에 합당하도록 변화시키려 하지 않습니다. 이들의 자유함이란 곧 내 힘으로 누군가를 혹은 무언가를 바꾸려는 욕망으로부터 자유롭습니다.

혹시 누군가를 변화시키고 싶습니까? 예수님이 말씀하십니다. "너나 바꿔라." 누군가를, 무언가를 바꾸고 싶은 열망으로부터 벗어난 사람들이 모였다면 거기는 어디일까요? 바로 하나님 나라입니다. 우리 모두 이런 자유함을 누리기를 바랍니다. 뿐만 아니라 우리로 인해 가정과 사회, 교회가 자유롭기를 바랍니다.

왜 예수 그리스도입니까? 우리의 프리덤^{freedom}은 Freedom to God 입니다. 하나님께로 향한 자유가 진정한 자유입니다. 그 자유를 경험할 때 우리는 세상 모든 것들로부터 풀려나게 됩니다. 그러면 내가 돈을 좀 벌어도 좋고, 못 벌어도 좋고, 건강해도 좋고, 병이 들어도 좋고, 사람들이 알아줘도 좋고, 전혀 몰라줘도 좋습니다. 젊은이들이 흔히 부러우면 지는 거라고 하는데, 진짜 크리스천은 부러운 것이 없는 사람입니다. 예수님 안에서 날마다 더 자유해지기 때문입니다.

이제 더 이상 날마다 조금씩 묶여 가고 깎여 가고 소모되고 마멸되어서 어느 날 완전히 탈진하는 인생이 아니라 날마다 주님 안에서 새롭

게 빚어지고 새 힘을 얻어서 독수리처럼 비상하는 인생이 되기를 바랍
니다.

WHY
JESUS

JOY

기쁨

예수님이 흘러넘치면 기쁨의 삶을 산다

JOY

젊은이는 우리의 미래입니다. 1960~1970년대에 우리는 경제개발을 통해 전후의 폐허가 된 나라를 다시 일으켜 세웠습니다. 당시 부모 세대와 젊은이들은 온몸을 바쳐 일했고, 지금 우리가 누리는 부를 일궈 냈습니다. 그러나 부를 일구는 동안 사회 윤리와 도덕은 반비례해서 곤두박질쳤습니다. 이 땅에 떨어진 사회 윤리를 다시 끌어올리려면 우리가 번 돈을 다 써도 역부족일지 모릅니다.

여러분은 어떤 가치를 따라 인생을 살고 있습니까? 돈만 많이 벌면, 사회적으로 성공하기만 하면, 권력만 가지면 성공한 인생이라고 생각합니까? 인생에서 어떤 가치를 기준으로 삼느냐는 매우 중요한 문제입니다. 그렇다면 크리스천은 어떤 가치를 따라 살아가는 사람입니까? 크리스천은 60년, 80년, 100년이라는 유한한 시간을 살다 가는 사람이 아니라 영원이라는 시간을 기준으로 살아가는 사람입니다. 그러므로 신앙 생활은 삶의 시간 기준을 영원으로 바꾸는 삶입니다.

니고데모라고 하는 당시의 석학이 예수님께 찾아와 어떻게 해야 영생을 얻느냐고 물었습니다. 그는 좀처럼 흠잡을 데 없는 종교적인 삶을 살았지만 영생을 확신할 수 없었습니다. 마음속 깊은 곳에 천국에 대한 확신이 없었던 것입니다. 이때 예수님은 단 한마디로 잘라 말씀하셨습니다. "네가 거듭나야 한다!"

"예수께서 대답하여 이르시되 진실로 진실로 네게 이르노니 사람이 거듭나지 아니하면 하나님의 나라를 볼 수 없느니라"요 3:3

그리고 예수님은 거듭나는 것이란 물과 성령으로 다시 태어나는 것이라고 부연해서 설명해 주셨습니다.

"예수께서 대답하시되 진실로 진실로 네게 이르노니 사람이 물과 성령으로 나지 아니하면 하나님의 나라에 들어갈 수 없느니라"요 3:5

그러나 니고데모는 물과 성령으로 거듭나야 한다는 말을 알아듣지 못해 어머니 태 속으로 다시 들어가야 하느냐고 묻습니다. 그는 흠잡을 데 없는 종교생활을 했지만, 그것은 내가 어떤 행위를 함으로써 인정받고 사랑받을 수 있다는 종교 행위였을 뿐입니다. 단지 종교 행위를 했을 뿐이면서 그것을 하지 않으면 불안해했습니다. 종교 행위의 특징은 상거래 행위와 닮았고, 그 행위의 깊은 곳에는 늘 불안이 도사리고 있습니다. 유대교는 하나님을 부인하거나 모르지 않습니다. 그들은 어느 누구보다 하나님을 두려워했습니다. 하나님의 인정을 받기 위해 어느 누구보다 열심이었습니다. 그러나 그 열심은 또 다른 인정과 성공을 향한 갈망이었습니다.

예수를 좇는 무리를 잡아다 감옥에 넣고 죽이고 핍박하던 바울은 다메섹으로 가는 길에 예수님을 만난 뒤 완전히 달라졌습니다. 예수님을 만나면 바울처럼 삶의 패러다임이 완전히 바뀌는 것이 정상입니다. 그래서 우리는 예수님을 직접 만나고 그 목소리를 직접 들어야 합니다. 흔히 기독교는 사실에 근거하지 않더라도 믿어야 한다고 강조하는 것으로 아는데, 그렇지 않습니다. 팩트fact가 없는데 무슨 믿음이 생기겠습니까? 팩트가 없는 믿음은 맹신일 뿐입니다. 예수님을 만나고 그 목소리를 들어야 흔들리지 않는 믿음이 생깁니다.

그러나 바울은 예수님을 만난 뒤 세상적인 기준으로 보면 말할 수 없는 고난의 길을 걷기 시작합니다. 바울은 가말리엘의 문하생으로서 온 이스라엘이 인정하는 당대 최고의 랍비가 될 만한 자격을 갖춘 사람이었습니다. 그러나 그는 예수님을 만난 뒤 그 모든 것이 배설물과 같다고 했습니다. 명예도 인기도 사람들의 환호와 인정도 모두 쓰레기에 불과하다는 것입니다. 그랬기에 바울은 그 모든 것을 망설임 없이 버릴 수 있었습니다. 아침에 일어나 몸 안의 것들을 배설하면서, 집 안의 더러운 쓰레기를 내다버리면서 아까워하는 사람은 없습니다. 가능한 한 빨리 버리길 원합니다. 바울은 예수님을 만난 뒤 눈에서 비늘 같은 것이 벗겨졌습니다. 그가 새로 눈을 뜨고 나서 깨달은 것은 자신이 지금까지 추구해 왔던 지위와 명예, 부와 권력은 마치 배설물과 같은 것이라는 사실입니다.

값싼 기쁨에 취해 있는가?

나는 앞에서 삶의 패러다임을 바꾸는 세 가지 기준을 말했습니다. 종교 이상meta religion, 노 마일리지no mileage, 자유freedom 입니다. 이제 삶의 패러다임을 바꾸는 네 번째 기준을 이야기하겠습니다. 바로 기쁨입니다. 기쁨은 영어로 'joy'입니다. 나는 JOY를 'Jesus Overflows You'라고 새롭게 의미를 부여하려 합니다. 뜻을 풀이하면 예수님이 우리 안에 흘러넘치는 것입니다.

인생에는 예수님이 아니어도 기쁜 일이 많습니다. 지난날 내가 술을 마신 것은 그것이 기뻤기 때문입니다. 사람들과 술을 마시며 어울려 노는 것이 즐거웠고, 술에 취해 갈수록 정신을 잃어 가고 횡설수설하며 헛소리하는 것이 일종의 일탈이 되어 즐거웠습니다. 평생 알고 지냈지만 좀체 속을 내비치지 않던 사람도 술에 취하면 한순간에 무장해제되어 자신을 드러냅니다. 금방 허물없는 친구가 됩니다. 골프는 또 얼마나 재밌는지 모릅니다. 시간을 투자한 만큼 실력이 늘어 가는 재미가 쏠쏠합니다. 그 재미에 빠져서 한여름에도 13개나 되는 무거운 골프채를 담은 가방을 짊어지고 이십 리 길을 걸으며 그 손바닥보다 작은 구멍에 공을 넣겠다고 땀을 뻘뻘 흘렸습니다. 그렇게 힘을 쏟아 놓고도 골프장을 나오자마자 연습장으로 직행하는 사람도 있습니다. 사랑하지 않으면 도저히 할 수 없는 행동입니다. 도박은 또 얼마나 짜릿한 재미를 선사하는지요. 에이스ace 카드 세 장이 손에 들리는 순간 숨소리부터 달라집니다. 극도의 흥분과 기쁨이 온몸을 전율하게 합니다. 판돈을 다 딸 때는 세상을 얻은 것 같습니다.

나는 어려서부터 친구가 부르면 무슨 핑계를 대서라도 친구한테 달려갔습니다. 오죽하면 할머니가 '부모 팔아서 노자 만들어 친구 따라갈 놈'이라고 야단을 치셨겠습니까. 심지어 전기 대학 시험에 떨어지고 후기 대학 시험을 치러야 하는 입시 날에도 친구와 함께 부산에 갔습니다. 친구들한테 목숨을 건 사람이었지요. 한밤에 전화가 걸려 오면 먼 길도 마다 않고 달려갔고, 술값이 없다고 하면 어떻게든 마련해 주고, 병을 앓는 친구가 약값이 없으면 어머니 반지를 몰래 팔아서라도 돈을 마련해 주었습니다. 그런데 그 친구들은 지금 내 곁에 없습니다. 내가 심혈을 기울였다고 생각했지만 돌아온 것은 배신입니다. 그러나 어쩌면 이것은 내 생각일 뿐이지 친구들 중에는 나한테 배신감을 느낀 사람도 있을 것입니다. 인간은 궁극적으로 서로 배신하고 배신당하는 존재입니다. 우리 곁에 끝까지 남아 있을 사람은 없습니다.

나는 직장에서 승진도 해봤고, 주식 투자로 돈을 벌기도 잃기도 하면서 순간순간 기뻐했습니다. 많은 사람들과 어울려 여러 가지 잡기에 빠져서 기쁨을 맛보고 즐겼습니다. 그러나 돌아보면 그 즐거움은 정말 값싼 기쁨이었습니다. 너무 값싸기 때문에 너무 쉽게 빠져들었다는 생각이 듭니다. 그런 점에서 우리는 하찮은 기쁨에 만족하는 습관을 버릴 필요가 있습니다. 기쁨의 기준을 높일 필요가 있습니다. 인생의 기쁨을 새롭게 할 필요가 있습니다. 어른이 된다는 것은 더 이상 어린아이들이 욕심 내고 갖고 싶어 하고 즐거워하는 것에 머무르지 않는 것입니다.

예수님은 우리 인생에 전혀 다른 차원의 기쁨을 제공하시는 분입니다. 우리가 미처 눈뜨지 못한, 형언할 수 없는 기쁨의 세계로 인도하시는 분입니다. 영원한 생명과 죄 사함의 기쁨이 바로 그런 것입니다. 그러나 오늘날은 순간적인 쾌락과 기쁨을 추구할 뿐 더 이상 진지한 것을 원하지 않는 시대입니다. 요즘 젊은 여성들은 남자가 못생긴 건 참아도 재미없는 건 못 참겠다고 말합니다. 유머는 우리 사회를 건강한 웃음으로 이끌기도 하지만 지나치면 오히려 그것에 집착하게 해 병들게 할 수 있습니다. 음란하고 하찮은 이야기들에 잠시 귀를 기울였다가 돌아서면 내가 얼마나 천박해 보이는지요.

여러분은 요즘 무엇이 재미있습니까? 여러분을 기쁘게 하는 것이 무엇입니까? 혹시 믿지 않는 사람들이 추구하는 기쁨과 다르지 않습니까? 기쁨^{joy}의 기준이 바뀌지 않으면, 그것이 우리의 정체성을 설명하는 것이 아니라면, 우리는 예수를 잘못 믿고 있는 것입니다. 예수를 따른다고 길을 나서 놓고 예수와 상관없는 길을 걷고 있는 것입니다.

웨스트민스터 WestMinster 요리문답에서 제1조는 '인간의 제일되는 목적이 무엇인가?'입니다. 하나님이 인간을 창조하신 목적이 무엇이냐는 질문입니다. 답이 무엇입니까? 하나님을 영화롭게 하고 그분을 즐거워하는 것입니다. 하나님을 기뻐하라는 뜻입니다. 우리는 집에서 강아지를 키우면서 무슨 득을 기대하지 않습니다. 하나님 역시 인간을 빚고 나서 무슨 득을 기대하신 적이 없습니다. 집 안에 강아지를 들이면 대소변도 치워야 하고 잠자리도 만들어 줘야 하고 미용도 시켜야 하고 아프면 병원에도 데려가야 합니다. 귀찮고 골치 아픈 일이죠. 그런데도 강아지를 애지중지 키웁니다. 왜 그렇습니까? 내가 좋아서, 기뻐서입니다.

만일 강아지가 오히려 성질내고 짖고 심지어 물기까지 한다면 우리가 강아지를 돌보겠습니까? 그런데 강아지는 언제든지 달려와 꼬리를 흔들며 반겨 줍니다. 지극정성으로 키운 자녀들도 하지 않는 충성을 보여 줍니다. 그래서 우리는 손이 많이 가서 귀찮지만 강아지를 키울 엄두를 내는 것입니다.

그렇다면 하나님과 인간의 관계는 어떨까요? 하나님은 인간을 통해 득 볼 게 아무것도 없습니다. 하나님과 인간 사이에는 거래 관계가 성립될 수 없습니다. 인간의 선행을 통해 쌓은 마일리지로는 하나님께 갈수 없습니다.

내가 전에 일하던 직장 옆에는 주유소가 있었습니다. 주유를 위해들를 때마다 세차권을 주어서 차곡차곡 모았다가 어느 날 세차를 하러 갔더니 그새 주유소가 문을 닫아 버렸습니다. 애써 모은 세차권이 아무 소용 없게 된 것입니다. 이 땅에서 우리가 차곡차곡 쌓는 마일리지야말로 아무 소용없는 세차권입니다. 만일 이 땅의 삶이 인생의 전부라면 우리는 굳이 예수님을 알 필요도, 그분이 약속하신 하나님 나라도 소망할 필요가 없습니다. 그저 이 땅에서 잘 먹고 잘살면 됩니다. 그러나 문제는 이 땅의 삶이 우리 인생의 전부가 아니라는 사실입니다. 이것을 다른 말로 하면 우리가 이 세상을 살아가는 목적과 하나님이 우리를 만드신 목적이 다를 수 있다는 것입니다. 이생의 삶이 전부라면 내 마음대로 살면 됩니다. 그러나 그렇지 않기 때문에 타락한 인간을 구원하러 예수님이 오셨습니다. 왜곡되고 타락한 인생을 회복시키고 하나님 나라의 기준을 알려 주기 위해 예수님이 오신 것입니다.

차원이 다른 하나님의 기쁨

어린아이들한테 기쁨을 설명할 수 있을까요? 예를 들어 어린아이한테 "올여름 멕시코 로스 까보스에 가자. 정말 기가 막히게 멋진 곳이야" 하면 아이는 그 기가 막힌 감정을 이해할 수 있을까요? 아이는 놀이터에서 친구들과 소꿉놀이하는 게 더 재밌습니다. 아무리 멋지고 아름다운 곳을 가자고 해도 아이에게 그곳은 기쁜 곳이 아닙니다. 아이에겐 친구들과 놀이터에서 구르고 노는 곳이 천국입니다. 아이가 자라서 내가 말하는 기쁨을 이해할 수 있을 때까지는 그 간격은 좀처럼 좁혀지지 않습니다. 마찬가지로 우리가 하나님의 기쁨을 맛보려면 그 수준에까지 도달해야 합니다. 우리가 이 땅의 기쁨에 만족하는 한 그 격차는 좁혀질 수 없습니다. 하나님은 그것이 너무 애통한 것입니다.

플라톤은 동굴의 비유를 통해 현실에 묶여 아무 생각 없이 살다가는 인간을 풍자했습니다. 죄수들이 사슬에 묶여 지하 동굴에 갇혀 있었습니다. 그들은 앞만 볼 수 있을 뿐 고개를 돌릴 수도 없었습니다. 그들은 등 뒤 불빛에 의해 벽에 비치는 그림자만 보고 살았습니다. 어느 날한 죄수가 사슬을 끊고 동굴 밖으로 나갔습니다. 밖으로 나가니 태양은 작열하고 바람이 시원하게 불고 나뭇잎이 바람에 따라 춤을 추고, 세상이 그렇게 아름다울 수 없는 겁니다. 그 죄수는 다시 동굴로 들어가 동료 죄수들에게 바깥세상의 아름다움을 설명하면서 다 같이 나가자고 설득했습니다. 그러나 동료 죄수들의 반응은 냉랭하기만 했습니다.

"너나 가서 잘 살아!"

우리는 그리스도 안에서 놀라운 기쁨을 경험해야 합니다. 그 기쁨을 경험해야 그리스도로 인한 기쁨을 모르는 사람들에게 전할 수 있습니다. 우리가 누리지도 못하면서 그 기쁨을 어떻게 전할 것이며, 교회 오라는 말을 어떻게 할 수 있겠습니까? 서로 싸우느라 세상보다 더 시끄러운 교회에 어떻게 오라고 할 수 있겠습니까? 정치 편향적인 발언이나 하는 설교 들으러 어떻게 교회에 오라고 할 수 있겠습니까? 교회 오라는 우리의 초대에 누가 응하겠습니까? 실제로 전도집회에 가 보면 차라리 사람들이 안 모였으면 좋을 것 같은 교회가 있습니다.

오늘날 교회와 크리스천이 지탄받는 이유는 오직 한 가지 때문입니다. 우리가 세상 사람들의 기쁨과 동일한 수준의 기쁨을 추구하기 때문입니다. 우리가 만일 말로 형언할 수 없는 기쁨을 경험하고 그 기쁨을 날마다 누리고 산다면 굳이 전도할 필요도 없습니다. 세상 사람들은 우리의 기쁨이 그들의 기쁨과 다르다는 걸 아는 순간 자발적으로 교회에 나올 것입니다. 자기네끼리 잘 놀고 있는 아이들은 다른 아이들을 데려오기 위해 애쓰지 않습니다. 깔깔거리며 노는 아이들이 궁금해서 다른 아이들이 제 발로 모여들 것입니다. 자기들도 끼워 달라고 사정을 할 것입니다.

세상에서 경험한 쾌락은 오래가지 않습니다. 기쁠 것 같지만 항상 그런 건 아닙니다. 경제학에서는 이런 현상을 한계효용의 체감 법칙이라고 합니다. 처음에는 아주 큰 효용가치가 있는 것 같지만 시간이 지나고 반복되면 점점 효용가치가 떨어진다는 뜻입니다.

오래전 내가 경찰서 출입 기자로 있을 때였습니다. 시비가 붙거나 사고를 쳐서 경찰서에 붙잡혀 와 유치장 신세를 지게 되면 가족이 와서 면담을 요청합니다. 원칙적으로는 면담이 허락되지 않으나 담당 경찰한테 담배 한 갑 찔러 주면 대개 면담이 허락되었습니다. 경찰도 인정에 못 이겨 원칙을 깨는 것입니다. 그런데 문제는 다음부터입니다. 처음에는 담배 한 갑이면 되던 것이 담배 한 보루로도 성이 차지 않습니다. 그러면 돈을 건네게 되지요. 돈도 처음엔 점심 한 끼로 만족하다가 시간이 지날

수록 액수가 올라갑니다. 나중에는 아예 액수를 정해 경찰관이 요구하기도 합니다. 인정으로 시작한 것이 뇌물이 되더니 이젠 아예 후안무치가 되는 것입니다. 파출소에서는 1만 원을 요구하더니 경찰서에 가니 10만 원을 요구하고, 구청에서는 100만 원을, 시청에서는 1,000만 원을, 청와대까지 가면 1억 원을 요구하는 부패의 사슬이 이어집니다.

처음엔 뇌물이 그의 인생에 반드시 필요한 조건이 아니었으나 시간이 지날수록 이 뇌물에 의지하게 되고 나중에는 이 뇌물이 필요조건이 되어 버립니다. 아주 심각하고 위험한 지경이 되는 거지요. 자칫 직장도 잃고 가족도 잃고 철장에 갇히는 신세가 될 수 있음에도 그것을 끊지 못합니다.

그런데 사실 따지고 보면 우리 역시 그들과 크게 다르지 않습니다. 통장에 찍힌 예금 액수에 따라 울고 웃지 않습니까? 0이 몇 개 붙었느냐에 따라 인생의 희비가 갈리지 않습니까? 우리가 누리는 기쁨의 수준이 그것밖에 안 되는 것입니다.

그래서 하나님은 돈과 하나님을 겸하여 섬길 수 없다고 하셨습니다. 돈보다 하나님이 좋다고 고백할 수 있다면 여러분은 정말 대단한 믿음을 소유한 것입니다. 그러나 대부분의 사람들은 이 물신주의 사회에서 돈을 더 잘 벌기 위해 하나님을 이용합니다. 내 꿈과 소원을 이루기 위해 하나님이 필요한 것입니다. 강단에서 설교하는 사람이나 예배당에서 말씀을 듣는 사람이나 이 세상에 하나님보다 더 좋은 것이 없다고 고백할 수 있는 사람이 드뭅니다.

자본주의 사회는 그래서 참 무섭습니다. 돈이 질서를 만들고 권력을 만들고 가치를 생성합니다. 돈을 좇아 직장을 선택하고 배우자를 선택하고 친구를 선택합니다. 연봉 100만 원, 1,000만 원을 더 주겠다면 당장 직장을 옮기는 게 우리의 현실입니다. 돈이 아니라 비전을 좇는 사람은 아주 드뭅니다. 그러나 우리가 사는 자본주의 세상이 돈을 통제할 만한 윤리와 도덕이 없다면 그야말로 최악의 재앙입니다. 하나님은 그런 사회를 재앙으로 보십니다.

물론 하나님이 돈과 인연을 끊고 담을 쌓으라고 하시지 않습니다. 돈을 사랑하지 말라는 거지요. 돈은 사용의 대상이지 사랑의 대상이 아니기 때문입니다. 써야 할 대상에게 오히려 붙들린다면 주객이 뒤바뀐 것 아닙니까? 성경은 돈이 악한 것이 아니라 돈을 사랑하는 것이 모든 악의 뿌리임을 일러 줍니다.

그분을 기뻐할수록 자유해진다

우리는 나쁜 것에 빠지면 거기에 얼마나 길들여졌는지 잘 모릅니다. 나는 처음엔 술을 못 마셨습니다. 술을 입에 대기만 해도 구토해서 괴로웠습니다. 그럼에도 나는 술을 이겨 보겠다고 꾸역꾸역 마셨고 나중에는 밤새 마셔도 끄떡없게 되었습니다. 함께 술 마시던 사람들이 나가떨어지는 것을 아주 통쾌하게 생각했습니다. 그러다 건강에 이상이 생겨 병원에 갔더니 의사는 내가 술을 이긴 것이 아니라 몸이 술에 굴복한 것이라고 했습니다. 처음에 술을 입에 대기만 해도 구토한 것은 건강한 몸이 일으킨 거부 반응이었습니다. 그러나 내가 몸의 반응을 무시하고 계속 술을 들이붓자 몸이 건강함을 포기하고 술에 길들여지면서 술을 거부할 힘을 잃어버린 것이란 설명이었습니다.

우리 입맛은 또 얼마나 오염되었습니까? MSG가 안 들어간 음식은 맛이 없다고 느낄 정도입니다. 금식을 해보셨습니까? 금식을 끝낸 뒤에 먹는 죽 한 숟갈, 야채 한 입이 그렇게 기가 막히게 맛있는 줄 몰랐습니다. 얼마나 맑고 깊은 맛이 있는지 깜짝 놀랐습니다. 평소에 별로 좋아하지 않던 음식이었는데 말이죠. 미각이 회복되니까, 하나님이 만든 모든 먹을거리들이 다 맛있었습니다. 미각이 얼마나 오염되고 병들었으면 이 맛을 놓치고 사는가 싶었습니다. 이게 바로 기쁨입니다. 야채의 제맛이 온전히 느껴지는 게 기쁨입니다. 하나님은 이 참된 기쁨을 우리에게 주셨습니다. 인간이 더 맛을 내겠다고 조미료를 가미해 오염시켜서 그렇지 하나님은 하나하나마다 독특한 맛과 개성을 온전하게 심어 놓으셨습니다.

우리는 모두 생김새도 다르고 성격도 다릅니다. 하나님이 우리 한 사람 한 사람을 독특하고 고유한 개성을 가진 사람으로 창조하셨기 때문입니다. 그런데 나는 왜 대머리인가, 못생겼는가, 능력이 없는가 하고 원망합니까? 우리 모두는 하나님이 만드신 최고의 걸작품입니다. 그러므로 우리가 하나님 안에서 완전한 존재임을 깨닫는 게 기쁨입니다.

한 아이가 금붕어 두 마리를 샀습니다. 어항을 사서 모래를 깔고 수초를 심고 심지어 물레방아를 놓고 공기를 불어넣는 기포생성기를 달고 그 위에 형광등까지 달아 놓고 나서 드디어 금붕어 두 마리를 풀어 놓으며 속삭이듯 말합니다.

"새끼 낳고 잘 살아라. 튼튼하게 잘 자라라."

아이는 날마다 금붕어에게 먹이를 주며 살핍니다. 금붕어 두 마리를 키우기 위해서도 이처럼 애쓰고 준비하고 보살피는데 하물며 하나님은 어떻겠습니까? 공기 중의 산소를 몇 퍼센트 조성해야 할지, 태양으로부터 지구는 얼마나 떨어져 있어야 하는지, 지축을 얼마나 기울여야 하는지 그 정성과 심혈이 상상이 됩니까?

금붕어가 인간에게 해줄 수 있는 최고의 선물이 잘 자라고 잘 번식하는 것이라면, 인간이 하나님께 해줄 수 있는 최고의 선물은 하나님을 기뻐함으로 그분을 기쁘시게 해드리는 것입니다. 하나님이 기뻐하시려면 어떻게 해야 합니까? 앞에서 나는 우리가 어떤 마일리지도 쌓을 필요가 없다고 했습니다. 우리는 단지 하나님을 진정으로 기뻐하면 됩니다. 그분을 인정하고 받아들이면 됩니다. 그것이 우리가 하나님께 해드릴 수 있는 최고의 선물입니다.

우리 아들은 지금까지 내 생일에 변변한 선물을 해준 적이 없습니다. 그 때문에 잠시 서운하긴 해도 그것을 치부책에 적어 놓고 괘씸하게 여긴 적은 없습니다. 왜냐하면 그 아이가 태어나서 자라는 동안 그로 인한 기쁨이 너무 컸기 때문입니다. 내 아들로 존재한다는 것, 나를 아버지라고 불러 준다는 것, 가끔 사랑한다고 말해 준다는 것, 그것으로 충분하기 때문입니다. 철이 들어서 "아버지, 존경합니다"할 때는 까무러치게 너무 좋습니다.

하나님 아버지도 우리에게 아무것도 기대하지 않습니다. 우리가 하나님 아버지의 자녀로 존재한다는 것, 하나님을 아버지라고 불러 준다는 것, 가끔 사랑한다고 존경한다고 말하는 것으로 충분한 것입니다. 더 나아가 하나님을 기뻐하면 까무러칠 것처럼 좋아하십니다. 우리가 인생을 기뻐하며 살면 까무러칠 것처럼 좋아하십니다.

하나님이 기뻐하시는 수준까지 오르는 인생을 위해 예수님은 주기도문을 가르쳐 주셨습니다.

"네가 철이 드니 하나님의 이름을 좀 알 것 같니? 네가 좀 성숙해져서 하나님의 나라가 네 나라보다 더 소중하고 크다는 것을 알겠니? 너의 하찮은 욕망과 탐욕을 위해 살지 않고 아버지의 뜻이 뭔지 기억하며 살 수 있겠니? 너 한 사람의 필요를 따라 사는 것이 아니라 네가 속한 공동체, 네 가족, 네 이웃을 위해 그들과 고통을 나누고 기쁨을 나누며 살 수 있겠니?"

우리는 주기도문을 고백하며 하나님이 우리에게 물으시는 이 질문들을 생각해 보아야 합니다. 하나님은 우리가 철이 들어서 성숙해지면 이 질문에 자신 있게 대답할 수 있기를 기대하십니다. 새벽기도를 빠지지 말라, 교회에서 봉사를 더 해라, 십일조와 감사헌금을 많이 해라, 이런 것을 요구하시는 하나님이 아닙니다. 그래서 하나님을 알아 갈수록 우리는 더 자유로워지고 더 큰 기쁨을 누리며 그분을 기뻐할 수 있습니다.

나는 하나님을 아버지로 고백하기 전에는 세상의 쾌락과 자유를 더 누리고 싶어 했고, 전 세계 100대 골프장을 샅샅이 돌아보는 것이 만년의 꿈이었습니다. 골프 인생 13년 동안 핸디캡은 12가 고작이었지만, 많은 사람들이 그랬듯이 골프에 이리저리 쏟아 부은 돈도 만만치 않았습니다. 그때는 골프를 치며 보내는 시간이 가장 큰 즐거움이었고, 핸디캡 낮추는 것을 마치 인생의 목적같이 여겼습니다.

물론 골프 치는 것이 나쁘다는 얘기가 아닙니다. 단지 그 기쁨이 누구를 위한 것이었는가를 생각해 보자는 말입니다. 골프를 치더라도 속임수를 쓰지 않고 돈도 잃을 줄 알면서 당신이 기쁘니 나도 기쁘다고 말할 수 있는 수준으로 했으면 좋겠습니다. 친구들과 카드놀이를 할 때도 만일 땄다면 다시 돌려주며 "오늘 함께해서 정말 즐거웠다"고 말할 수 있으면 좋겠습니다. 왜 그래야 합니까? 하나님을 아는 우리가 세상의 기쁨이 아니라 하나님으로 인한 기쁨을 세상 사람들에게 알려 줘야 하기 때문입니다. 하나님이 누군지를 몰라 세상 기쁨이 전부인 줄 알고 살아가는 사람들에게 이게 전부가 아니라는 것을 알려 주는 일보다 타인을 사랑하는 방법이 없기 때문입니다.

요즘 크리스천들은 세상 사람들보다 더 이기적이고 더 부패했다는 소리를 듣습니다. 크리스천이 왜 이런 말을 듣는 걸까요? 크리스천이 어떻게 이기적일 수 있습니까? 나는 요즘 이것이 가장 큰 고민입니다.

아들과 레슬링을 하면서 죽을힘을 다해 이기려는 아버지는 없습니다. 크리스천은 세상 사람들에게 이런 아버지가 되어야 합니다. 죽을힘을 다해 세상 사람들을 이기려고 해선 안 됩니다. 물론 돈을 벌지 말라는 얘기가 아닙니다. 또 돈을 벌어서 다 나눠 주라는 얘기도 아닙니다. 다만 경쟁하는 이유와 목적이 달라야 한다는 뜻입니다.

워런 버핏은 2006년에 370억 달러를 빌 게이츠의 자선재단에 기부했습니다. 사실 370억 달러면 자기 이름의 재단을 10개 만들고도 남을 돈입니다. 그런데도 그는 그렇게 하지 않았습니다. 어느 기자가 왜 그랬냐고 묻자, 그는 "빌 게이츠 재단이 나보다 돈을 더 잘 쓰기 때문이다"고 대답했습니다.

크리스천은 이런 사람이어야 합니다. 돈을 벌되 세상 사람들이 돈을 버는 이유와 목적과는 달라야 합니다. 하나님을 믿는 믿음이란 이 세상 어떤 것도 인간의 소유가 될 수 없다는 것을 인정하는 것이고, 워런 버핏처럼 내가 땀 흘려 번 돈이니 내 맘대로 쓰겠다, 적어도 내 이름을 알리는 데 쓰겠다 할 수 있는데도 그렇게 하지 않는 것입니다.

여러분은 돈을 물 쓰듯이 쓰지 않을 뿐 아니라 자기 이름을 내는 데도 관심이 없다고요? 많은 사람들이 그렇게 삽니다. 그러나 크리스천은 돈도 잘 벌고 능력도 뛰어난 탁월한 사람이었으면 좋겠습니다. 탁월한 수준에 이르러야 낮은 곳에 임함으로 하나님을 드러낼 수 있기 때문입니다. 세상 사람들이 사다리 타기에 땀과 힘을 쏟을 때 우리는 사다리를 올랐다가 다시 내려가는 사람이었으면 좋겠습니다. 나를 위해 돈에 집착하고 이름을 내는 데 못 신경을 쓰는 것이 아니라 하나님의 이름을 위해 내 모든 열정을 쏟을 수 있는 사람이면 좋겠습니다.

진짜를 알면 가짜에 목숨 걸지 않는다

내가 예수님을 만나고 나니 모태신앙인들이 참 불쌍해 보였습니다. 많은 모태신앙인들이 영적 교만에 빠져 있는데다 성경 지식은 많으나 예수님을 만나지 못했기 때문입니다. 나의 아내 역시 모태신앙인이지만 그때까지 예수님을 만나지 못했습니다. 그것이 그렇게 안타까울 수 없었습니다. 나는 내가 누리는 이 기쁨을 아내가 누렸으면 했습니다. 사랑하는 사람이 행복해하는 모습을 보고 싶었기 때문입니다. 크리스천은 나 자신이 행복해서 행복한 사람이 아니라 내가 사랑하는 사람이 행복해서 더없이 행복한 사람입니다. 사랑하는 아내나 남편이 행복한지 그렇지 않은지는 관심이 없고 오로지 나 자신의 행복만 추구한다면, 배우자는 불행하기 쉽습니다. 나는 아내가 예수님을 그냥 알고 지내는 것이 아니라 깊이 만나도록 돕는 것이 아내를 가장 사랑하는 길임을 깨닫게 되었습니다. 기도하는 가운데 하나님이 주신 마음입니다.

"네가 가진 것을 다 내려놓아라."

그래서 나는 CEO 자리를 떠나기로 했습니다. 회사가 상장되면 받을 것으로 은근히 기대했던 스톡옵션stock option의 혜택도 버렸습니다. 그리고 서울을 떠나고 싶어 하지 않는 아내를 설득해 보스턴으로 신학 공부하러 떠났습니다. 아! 정말이지 신학교 생활은 우리 부부에게 험난한 광야였습니다. 그 시절을 얘기하려면 밤을 새워도 다하지 못합니다. 아내 역시 그 시절을 떠올리면 몇 권의 책을 쓸 수 있을 것입니다. 그 시절 나는 하루에 두세 시간씩밖에 못 잤습니다. 신학 공부하랴, 갓 시작된 이민 교회를 섬기랴, 정말이지 몸이 열 개라도 모자랄 만큼 바빴고 바쁜 만큼 고난도 많았습니다. 입이 두 번씩 돌아가는가 하면 심장 수술도 두 번이나 했습니다.

"당신 정말 기뻐요? 이렇게 힘들어도 당신은 기쁜가요? 당신은 예수 믿기 전에도 기쁘게 살았잖아요."

당시 아내는 내게 이렇게 물었습니다. 예수님의 제자로 나섰는데 생활은 빠듯하고 오히려 고난이 많으니 아내로선 이해할 수 없었던 것입니다. 그때 나는 이렇게 대답했습니다.

"당신 말대로 나는 세상에서 너무 재미나게 살았어. 술집에서 내가 폭탄주를 몇 잔 돌리느냐에 따라 그날 술집의 매상이 달라질 만큼 정말이지 신나게 살았어. 어딜 가나 대환영을 받았지. 그런데 그런 즐거움은 오래 가지 않아. 그건 진짜 기쁨이 아니야. 그건 오래 갈 것 같아도 한순간이고, 예수님 안에서 솟아나는 기쁨은 한순간이라도 영원한 기쁨이야. 그리고 이 기쁨은 모든 고통을 이기고도 남는 기쁨이야."

아내가 끔찍한 고통에 시달리는 것을 보는 것은 참으로 견디기 어려운 또 다른 고통이었습니다. 내가 할 수 있는 일은 기도하는 것뿐이었습니다. 그러던 어느 날 아내가 흘리는 기쁨의 눈물을 보았습니다. 아내가 하나님의 음성을 들었습니다.

"네가 네 남편 때문에 고생하는 것이 아니라 네 남편이 너 때문에 고생하고 있다."

동의할 수 없는 말씀에 아내는 통곡했습니다. 그리고 자기 인생의 파노라마가 펼쳐지기 시작했습니다. 아내의 입에서 감사기도가 터져 나왔습니다.

"이 모든 것이 나를 새롭게 빚느라고 시작된 일이군요. 아버지, 감사합니다!"

우리 둘은 그날 밤 서로 안아 주며 몇 시간이고 울었습니다. 우리 부부는 결혼 20년 만에 진정한 부부가 되었습니다. 그 영적인 하나됨의 기쁨과 감동을 어찌 잊을 수 있을까요.

어느 날 한 후배가 찾아와서 "나는 아직 젊으니까 한 70세쯤 되어 교회에 나갈 거예요" 했습니다. 그래서 나는 그 후배에게 두 가지를 말해 주었습니다.

첫째, "너는 70세에 교회에 온다고 했는데 문제는 네가 70세까지 산다는 보장이 없다."

둘째, "태어나서 죽을 때까지 시궁창만 아는 바퀴벌레는 거기가 천국이라고 생각한다. 하지만 시궁창을 벗어난 바퀴벌레는 그곳이 얼마나 더럽고 냄새 나는 곳인지 잘 안다."

나도 예수님을 만나기 전에는 유명인사들과 같이 룸살롱을 출입

하며 마치 성공한 인생인 것처럼 착각했습니다. 그러나 룸살롱을 벗어나서 보니까 그곳이 얼마나 냄새 나고 지저분한 곳인지 알게 되었습니다. 신선한 공기를 맛본 사람은 고약한 냄새가 가득한 시궁창을 더 이상 그리워하지 않습니다.

우리가 추구하는 것들은 사실 사랑의 대용품입니다. 우리가 추구하는 모든 즐거움이나 쾌락의 대상은 진정한 기쁨의 대용품들인 것입니다. 가짜는 진짜와 비슷할 뿐 진짜가 아닙니다. 그러므로 기쁨의 차원을 높이기로 결단하십시오. 싸구려에 만족하지 마십시오. 우리가 죽을 때 가지고 갈 수 없는 것들에 만족하지 마십시오. 사람의 시신은 캐딜락 타고 갈 수도 있고 낡은 장의차 타고 갈 수도 있지만 시신을 처리하는 방법은 두 가지입니다. 땅에 묻어 버리거나 불에 태워 버리거나 둘 중의 하나입니다. 이 세상에서 얻은 부와 명예, 지위, 어느 것도 가져갈 수 없습니다.

크리스천은 오늘밤 죽을 수 있다는 마음으로 하루하루를 사는 사람들입니다. 오늘밤이라도 생명의 주인이 도로 거두어 가실 수 있음을 알기 때문입니다. 우리가 죽음에 대한 생각을 분명히 해야 삶도 분명해집니다. 죽음이 목전에 있는 사람은 버킷리스트^{bucket list}가 바뀌고, 시간표가 바뀌고, 우선순위가 바뀌게 됩니다. 죽음을 바르게 의식할 때 비로소 이생의 삶이 달라집니다. 그렇게 인생이 달라지면 더 이상 낮은 차원의 쾌락에 몸을 맡기지 않습니다.

아내를 사랑하는 사람은 다른 여자가 눈에 안 보입니다. 마찬가지로 예수님을 사랑하는 사람은 세상의 기쁨과 즐거움이 눈에 안 보입니다. 세상의 죄악으로부터 눈을 돌리게 됩니다. 정말 예수님을 사랑하면 중독에서 벗어나고 음란으로부터 자유로워집니다.

몇 년 전에 미국의 유명한 록 가수의 인터뷰 기사를 본 적이 있습니다. 그는 밤마다 다른 여자와 잠을 잤다고 합니다. 하룻밤에도 여러 여자와 잠을 자기도 했다고 고백했습니다. 아는 상대건 모르는 상대건 상관하지 않았습니다. 그런 그가 예수님을 만난 뒤 음란에서 완전히 벗어났습니다. 그는 뜻밖에도 자신이 성적인 매력이 넘치는 사람이라고 믿었는데 사실은 음란한 영적 존재에 사로잡혀 있었다는 것을 알게 되었다고 했습니다. 세상이 얼마나 혼탁하고 음란한지 모릅니다. TV와 인터넷 등 우리를 둘러싼 환경은 언제든지 음란의 구렁텅이로 우리를 밀어뜨릴 준비가 되어 있습니다. 조금만 방심하면 바로 음란의 나락으로 떨어지고 맙니다.

그러나 더 좋은 곳을 바라보기만 하면, 진짜를 바라보기만 하면, 애써 보지도 듣지도 않으려고 노력할 필요가 없습니다. 냄새 나는 세상에서 눈을 돌리게 되고 가짜에 목숨 걸지 않게 됩니다.

하나님 차원의 기쁨으로 살라

하나님을 기뻐하는 것이 우리 삶의 목적이 되어야 합니다. 우리가 하나님께 무엇을 드리고 몸을 바쳐 선행을 한다고 하나님이 기뻐하시는 것이 아닙니다. 단지 하나님 안에서 하나님을 기뻐하는 것이 하나님을 기쁘시게 합니다.

> "내가 무엇을 가지고 여호와 앞에 나아가며 높으신 하나님께 경배할까 내가 번제물로 일년 된 송아지를 가지고 그 앞에 나아갈까 여호와께서 천천의 숫양이나 만만의 강물 같은 기름을 기뻐하실까 내 허물을 위하여 내 맏아들을, 내 영혼의 죄로 말미암아 내 몸의 열매를 드릴까"미 6:6-7

하나님은 우리에게 자신을 주시고자 할 뿐입니다. 눈에 보이는 물질이나 당장에 만족스런 명예나 지위를 주시는 것이 목적이 아닙니다. 그런데 우리는 천천의 숫양이나 만만의 기름을 드려 하나님을 기쁘시게 한 뒤 그보다 더 큰 것을 받고 싶어 합니다. 하나님은 우리 한 사람 한 사람으로 만족하시는데, 우리는 하나님 한 분으로 만족하지 못하는 것입니다. 하나님 한 분으로 만족하지 못하기 때문에 교회를 다니면서도, 성경을 읽으면서도 힘 있는 사람들 뒤에 줄을 서려 하고 더 많이 가지려고 욕심을 부리고 더 높은 곳에 이르려고 눈을 부라리며 사람들과 경쟁합니다.

지금 당장 예수님께로 돌이켜서 그분이 나를 얼마나 사랑하셨으면 십자가에 피 한 방울 남기지 않고 쏟았는가를 묵상하십시오. 가슴이

미어지는 사랑이 차오를 것입니다. 그러면 어떤 것에도 목마르지 않게 됩니다.

하나님은 세상의 어떤 것과도 비교할 수 없는 기쁨을 우리에게 주시고자 합니다. 그것이 우리를 향한 하나님의 뜻입니다. 우리가 항상 기뻐하는 것이 하나님의 영원한 기쁨입니다.

우리가 위선적이 되거나 종교적이 되거나 무엇에 중독이 되는 걸 하나님은 원하지 않으십니다. 그런 건 다 세상의 기준입니다. 우리는 세상 속에서 세상의 시스템system에 따라 살고, 관계 맺는 사람들이 아닙니다. 우리는 세상의 중심에 보내져서 세상을 변화시키는 사람이어야 합니다.

그러려면 하나님과의 관계가 중요합니다. 하나님과의 관계가 뿌리 깊으면 세상에서 어떤 모습으로 살든 성공한 인생입니다. 반면에 하나님과 아무런 상관없는 삶을 산다면 그것은 실패한 인생입니다. 그러므로 우리는 언제든지 하나님을 붙드는 인생이 되어야 하고 예수님을 진심으로 사랑하는 인생이 되어야 합니다. 언제든지 배신할 수 있는 사람에게 매이고 기대하고 소망하지 마십시오. 우리가 기대하고 소망하고 매여야 할 분은 오직 하나님 한 분이십니다. 그분은 우리를 위해 자신의 목숨을 버리셨습니다. 그분은 우리를 가장 최고이며 최상이며 최선의 길로 인도하십니다. 그러므로 내가 생각하는 최상과 최선, 최고를 그분의 기준에 맞추십시오. 그러기만 하면 우리는 최고의, 최상의, 최선의 삶을 살게 될 것입니다.

다시 한 번 강조하지만 기쁨^{JOY}은 'Jesus Overflows You'입니다. 우리 안에 예수님이 흘러넘치면 기쁨의 삶이 됩니다. 그 기쁨을 이제 누리십시오.

그 기쁨은 섬김이 되고 향기가 될 것입니다. 어느 것과도 비교할 수 없는 놀라운 행복이 될 것입니다. 그 기쁨은 다른 차원의 행복이며 다른 차원의 기쁨입니다. 예수님이 이 형언할 수 없는 기쁨을 우리에게 주기 원하십니다. 그 기쁨을 받겠습니까? 받으십시오. 무엇으로 받습니까? 믿음으로 받습니다.

"We are saved by grace through faith."

믿음으로 받으십시오. 주셨다고 믿고 날마다 기뻐하고 감사하십시오.

"항상 기뻐하라 쉬지 말고 기도하라 범사에 감사하라 이것이 그리스도 예수 안에서 너희를 향하신 하나님의 뜻이니라"^{살전 5:16-18}

우리가 항상 기뻐하는 것이 하나님의 뜻입니다. 내 안에 예수님이 흘러넘치면 항상 기뻐할 수 있습니다.

예수님은 요한복음 17장에서 십자가 대속을 목전에 두고 대제사장의 기도를 드렸습니다. 그러므로 이 기도는 우리에게 전하는 유언과 같은 것입니다.

"지금 내가 아버지께로 가오니 내가 세상에서 이 말을 하옵는 것
은 그들로 내 기쁨을 그들 안에 충만히 가지게 하려 함이니이다"요
17:13

죽음을 목전에 두었으면서도 예수님은 기쁨이 충만하다고 말씀하고 있습니다. 그리고 이 충만한 기쁨을 제자들에게, 다음 세대에게, 예수님을 믿고 따르는 모든 사람들에게 주고 싶다고 말씀하십니다. 이것이 우리 예수님의 뜻입니다. 예수님은 우리 안에 예수님이 주신 기쁨이 차고 넘치기를 바라십니다. 그러므로 넋 빠진 사람처럼 웃고 다니십시오. 사람들로부터 "저 사람 실성했나? 왜 저래?" 하는 소리를 듣기를 소망하십시오. "나 미쳤나 봐요. 그런데 너무 기뻐요. 기쁨을 주체할 수 없어요" 라고 대답하는 우리가 되기를 소망합니다.

WHY
JESUS

5강

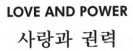

LOVE AND POWER
사랑과 권력

권력의지를 버리고 사랑의 길을 가라

LOVE AND POWER

예수님이 십자가에서 마지막 호흡이 끊어질 때까지 하신 말씀이 있습니다. 모두 일곱 마디입니다. 이를 가상칠언이라고 하는데, 내용은 이렇습니다.

"아버지 저들을 사하여 주옵소서 자기들이 하는 것을 알지 못함이 니이다"눅 23:34

"내가 진실로 네게 이르노니 오늘 네가 나와 함께 낙원에 있으리 라"눅 23:43

"여자여 보소서 아들이니이다… 보라 네 어머니라"요 19:26-27

"엘리 엘리 라마 사박다니 하시니 이는 곧 나의 하나님, 나의 하나 님, 어찌하여 나를 버리셨나이까 하는 뜻이라"마 27:46(참고, 막 15:34)

112

"내가 목마르다"요 19:28

"다 이루었다"요 19:30

"아버지 내 영혼을 아버지 손에 부탁하나이다"눅 23:46

이중에서 가장 중요한 말씀은 "다 이루었다"입니다. 헬라어로는 테텔레스타이ΤΕΤΕΛΕΣΤΑΙ라고 합니다. 그런데 과연 무엇을 다 이루었다는 것입니까? 예수님은 십자가에서 도대체 무엇을 다 이룬 겁니까?

예수님이 이 말씀을 하실 때 어떤 상황이었는지 상상해 보십시오. 중동의 작열하는 태양을 경험한 사람은 알겠지만, 그 뜨거운 햇빛은 5분, 10분도 견디기 어렵습니다. 그렇게 뜨거운 태양 아래서 예수님은 완전히 벌거벗겨진 채 손과 발이 못에 박혀 마지막까지 피를 쏟으며 십자가에 달려 있었습니다. 목이 마르다 못해 타들어 갈 지경입니다. 정말 끔찍합니다.

그런데 예수님은 이 상황에서 다 이루었다고 말씀하십니다. 예수님은 무엇을 이루기 위해 이토록 끔찍한 고통을 감수하시는 겁니까? 그리고 무엇을 이루신 것입니까?

사랑을 아낌없이 쏟아 내셨다

헬라어 테텔레스타이ΤΕΤΕΛΕΣΤΑΙ는 용도가 다양한 단어입니다. 아이들이 부모나 선생님이 낸 숙제를 다 마친 뒤에 하는 말입니다.Work is finished. 또 군인이 사명을 받고 적진에 들어갔다가 돌아와서 상관한테 보고할 때 이 말을 합니다.Mission is completed. 미션을 완수했다는 뜻입니다. 그리고 제사장이 제사를 드린 뒤 이 말을 합니다.Sacrifice is accepted. 제물이 하나님 께 받아들여졌다는 뜻입니다. 일반적인 상거래에서도 흔히 사용됩니다. 돈을 다 지불했다는 뜻입니다.It is paid. 그렇다면 예수님은 이 단어를 무슨 뜻으로 사용했을까요? 위에 제시한 모든 뜻이 예수님의 이 한마디 안에 다 포함되어 있습니다. 그중에서도 가장 중요한 의미는 예수님이 이 땅 에 오신 목적과 사명과 관련되어 있습니다.

> "인자가 온 것은… 자기 목숨을 많은 사람의 대속물로 주려 함이니
> 라"막 10:45

예수님은 몸값을 치르러 왔다고 하십니다. 무슨 몸값입니까? 몸값 으로 쓰인 단어 'ransom'은 노예시장에서 노예를 살 때 지불하는 돈입니 다. 노예의 주인에게 돈을 지불해야 노예를 내 소유로 만들거나 자유롭 게 해줄 수 있습니다 그러니까 예수님이 말씀하신 '다 이루었다'를 몸값 을 치르러 오신 그분의 목적에 따라 해석하면 이제 값이 다 치러졌다는 뜻이 됩니다. 실제로 테텔레스타이τετέλεσται에는 'It is paid'의 의미가 있 습니다. 상거래 때 받은 청구서의 값을 지불하는 동시에 그것을 증거하 는 도장을 찍는데, 이때 도장이 'paid'입니다. 예수님은 이 도장을 찍으

러 오신 것입니다. "다 이루었다"는 "Your ransom is paid"네 몸값을 내가 지불했다 라는 뜻입니다.

이것이 예수님 생애의 처음과 끝입니다. 신학자들에 따라서 예수님의 생애를 33년에서 36년까지 보기도 하는데 그 생애 동안 이 땅에 보내진 미션, 책임을 다 이루었다는 것입니다.

나는 이제 64세입니다. 그런데 돌아보면 아무것도 한 일이 없습니다. 이제 조금 철이 들어 하나님의 뜻을 분별하며 뭘 좀 해보겠다고 하지만 제대로 시작한 것 같지도 않습니다. 그런데 예수님은 그 짧은 생애 동안 무엇을 해야 하는지 정확히 아셨고, 그 일을 다 마치셨습니다.

그렇다면 예수님은 누구를 위해 값을 치르신 겁니까? 바로 우리입니다. 그러면 우리는 누구입니까? 예수님이 목숨 값을 치러야 할 만큼 우리가 그분에게 소중한 존재입니까? 또 우리가 어떤 상태에 있었기에 예수님의 목숨이 필요했습니까? 우리는 예수님이 생명을 지불해야 할 정도로 심각하게 묶인 노예 상태였습니다. 그런데 우리는 과연 지금 노예처럼 묶인 처지입니까? 날마다 자유롭게 출퇴근하고 먹고 싶은 것 먹고 가고 싶은 데 가고 쉬고 싶을 때 쉬면서 자유롭게 살고 있지 않습니까?

우리가 노예 상태로 묶여 있다는 사실을 이해하려면 물리적인 상태가 아니라 영적인 상태를 살펴봐야 합니다. 사실 이것이 영적 세계의 비밀이고 실상입니다.

예수님은 이 땅의 왕으로 오셨습니다. 왕의 보좌에서 세상을 다스릴 분이었습니다. 사실 제자들은 예수님이 이 세상의 왕으로 군림해 주

115

기를 기대했습니다. 그런데 그 제자들은 당시 하층민에 가까운 낮은 신분의 사람들이었습니다. 왕이신 예수님이 제자로 삼기에는 부적절한 사람들이었습니다. 제자들은 지금으로 말하면 겨우 초등학교 졸업이 학력의 전부이거나 잘해야 고등학교 졸업장을 가진 사람들이었습니다. 토라 _{주로 모세5경을 이르는 성경}를 제대로 읽었는지가 의심쩍은 사람도 있습니다. 적어도 예수님의 제자라면 4년제 대학은 나오고 구약 정도는 통달한 사람이어야 하지 않겠습니까? 그런데 예수님은 갈릴리 호숫가에서 고기를 낚던 사람들을 제자로 부르셨습니다. 심지어 당시 유대인들에게 매국노라고 손가락질 받던 세리까지 제자로 삼았습니다.

예수님은 그들을 제자로 불러 3년간 가르치고 훈련시키셨습니다. 과연 예수님의 제자 훈련은 성공적이었을까요? 아닙니다. 실패했습니다. 고난이 닥치자 그들은 모두 뿔뿔이 흩어졌고 심지어 예수님을 모른다고 부인까지 했습니다.

왜 예수님은 당시 랍비들이라면 결코 제자로 삼지 않았을 사람들을 제자로 부르셨을까요?

우리 같은 사람들을 부르시기 위해서입니다. 우리는 예수님과 3년간 같이 먹고 자고 가르침을 받고 훈련받았지만 고난이 닥치자 도망친 제자들보다 더 연약한 사람들입니다. 제자들은 적어도 예수님이 부르실 때 모든 것을 버리고 따라나서지 않았습니까? 우리는 예수님이 솔선수범으로 가르쳤는데도 실패할 수밖에 없는 사람들입니다. 그만큼 묶인 존재들입니다. 예수님은 우리의 연약함과 묶임을 해결하기 위해 이 땅에 오셨습니다. 그것은 생명, 즉 예수님의 생명을 몸값으로 지불해야만 가능한 일이었습니다. 이것이 바로 크리스천의 비밀입니다.

십자가에 달리실 때 예수님은 실패자의 모습이었습니다. 정작 고난의 현장에서 같이하지 않은 제자들을 보면 예수님의 제자 훈련도 실패했습니다. 그런데 가장 실패한 인생처럼 보이던 예수님이 부활하셨습니다. 예수님의 부활은 십자가가 실패가 아니라 승리임을 입증해 주는 사건이었습니다. 예수님은 부활 후 40일 동안 뿔뿔이 흩어졌던 제자들을 다시 불러 모아 인생의 허상이 아니라 삶과 죽음의 실상을 보여 주셨습니다. 그리고 예수님이 약속하신 그분이 올 때까지 예루살렘을 떠나지 말고 기도하라고 당부하셨습니다.

이제 제자들은 힘써 모여 예수님이 살아생전에 그랬듯이 틈만 나면 기도하기를 힘썼습니다. 그리고 마침내 제자들과 120여 명의 문도들은 마가의 다락방에서 성령강림 사건을 경험하게 됩니다. 예수님이 약속하신 성령이 오신 것입니다.

"내가 너희에게 실상을 말하노니 내가 떠나가는 것이 너희에게 유익이라 내가 떠나가지 아니하면 보혜사가 너희에게로 오시지 아니할 것이요 가면 내가 그를 너희에게로 보내리니"요 16:7

예수님이 약속하신 대로 그날 성령이 강림하시자 이들에게 전혀 다른 삶이 열리기 시작했습니다. 우리는 이들을 초대교회라고 부릅니다. 예수님을 항상 따라다니고, 가까이에서 배우고, 사랑한다고 고백했는데도 실패하던 사람들이 성령을 받고 나자 이전과 전혀 다른 행동과 결정과 대담성과 일관성을 가지기 시작했습니다.

예수님이 몸값을 지불함으로써 노예 상태에서 자유를 얻었지만 여전히 자유를 누리지 못하던 그들이었습니다. 노예 시절의 묵은 때를 벗지 못하던 그들이었습니다. 그런 그들이 성령을 받자 진정한 자유인으로 살기 시작했습니다. 예수님은 그들을 이렇게 탄생시키기 위해 기꺼이 산고를 치르셨습니다. 이들을 탄생시키기 위해 예수님은 생명까지도 쏟아 부으셨습니다. 이렇게 탄생한 것이 교회입니다. 예수님은 이 교회를 위해서 그분의 모든 것을 쏟아 부으신 것입니다. 예수님으로부터 시작된 교회가 지난 2천 년 동안 생명력을 이어 오고 있습니다. 놀랍지 않습니까? 예수님으로부터 인류의 역사는 BC와 AD로 구분되었고, 예루살렘에 세워진 초대교회가 지금은 전 세계에 이르기까지 확장되었습니다.

두 번째 아담 예수님이 한 일

교회는 어디서 시작된 것입니까? 교회가 세워진 목적이 무엇입니까? 오늘날 교회가 왜 필요합니까?

교회는 예수님과 불가분의 관계에 있고, 예수님의 의도와 깊은 연관이 있으며, 예수님의 생애와 목적과도 맞닿아 있는 예수님의 프로젝

트입니다. 교회는 예수님이 인류의 수많은 문제를 해결하는 새로운 패러다임 paradigm 으로 세우신 것입니다. 그런데 교회가 어떻게 인류의 문제를 해결한다는 것입니까?

예수님은 이 교회를 위해 인간이라면 당연히 선택해야 할 결정을 버리셨습니다. 누구든지 갈 수밖에 없는 길을 버리셨다는 의미입니다. 누구든지 갈 수밖에 없는 길은 어떤 길입니까? 아담으로부터 시작된 죄의 길입니다. 아담은 하나님이 먹지 말라던 선악과를 먹음으로 죄의 길을 열어 놓았습니다.

하나님은 선악과를 먹으면 네가 정녕 죽으리라고 강하게 경고하셨습니다. 왜 먹지 말라고 하셨습니까? 사람이 선과 악을 판단하는 자리에 서면 죽음이 오기 때문입니다. 이처럼 성경은 우리가 선과 악을 판단하는 자리에 섰기 때문에 죽음이 왔다고 말하고 있습니다. 그런데 왜 그것이 죽음을 가져옵니까? 하나님처럼 되고 싶은 탐심 때문입니다.

누구나 득도해서 해탈하면 신이 될 수 있다고 가르치는 불교는 참 매력적입니다. 무당들이 하는 강신굿은 신내림을 받는 행위입니다. 이렇듯 인간은 누구든지 신이 되고 싶어 하는 강렬한 욕구를 갖고 있습니다. 일본에서는 고양이 신을 받겠다고 끔찍한 짓을 저지르기도 한답니다. 뜨거운 여름에 고양이를 백사장에 목만 내놓고 파묻은 뒤 물도 주지 않고 먹을 것도 주지 않습니다. 이렇게 며칠 지나면 고양이 눈에서 새파란 불이 뿜어져 나오고 일주일 뒤 고양이 목을 잘라 그렇게 받은 고양이 신으로 점을 칩니다. 일본에는 온갖 잡신이 약 800만이라고 합니다.

우리나라의 토속 문화도 이 같은 샤머니즘^{shamanism}을 기반으로 하고 있습니다. 애니미즘^{animism}이나 토테미즘^{totemism}, 스피리티즘^{spiritism} 같은 정령 숭배 사상도 신이 되고 싶은 인간의 탐심과 맞닿아 있습니다. 그러나 이 모든 것은 성경의 가르침과는 전혀 거리가 멉니다. 성경은 동물과 인간을 명확하게 구분합니다.

> "여호와 하나님이 땅의 흙으로 사람을 지으시고 생기를 그 코에 불어넣으시니 사람이 생령이 되니라"^{창 2:7}

하나님은 마지막에 사람을 지으시면서 생기를 불어넣어 생령이 되게 하셨습니다. 동물들에게는 이런 생기를 넣지 않으셨습니다. 그런데 정령 숭배 사상은 모든 만물에 영이 있다고 생각해서 그들을 숭배합니다. 힌두교를 믿는 사람들은 소를 신성시해서 잡아먹지도 않을뿐더러 대로에 소가 지나가면 지나가던 차들이 서서 다 지날 때까지 기다려 줍니다. 태양을 숭배한 이집트도 모든 것에 영이 있다고 믿은 대표적인 민족입니다. 나일 강에도 신이 있고 풍뎅이, 개구리, 파리 등에도 신이 있다고 믿었습니다.

하나님은 하나님의 뜻과는 전혀 다른 삶을 살아가는 이집트에서 이스라엘 백성을 구출^{exodus}하셨습니다. 바로 출애굽 사건이지요. 출애굽이 첫 번째 엑소더스^{exodus}였다면 예수님이 몸값을 치르고 묶인 우리를 구출한 십자가 사건은 두 번째 엑소더스^{second exodus}입니다. 장정만 60

만 명이나 되는 이스라엘 백성이 단체로 출애굽 사건을 경험하며 구원을 받았습니다. 그런데 예수님은 한 사람 한 사람을 구원하십니다. 열두 제자로 시작된 구원 사역은 120명으로 확장되어 교회로써 구원을 이어갑니다. 따라서 교회는 '예수님이 불러낸 사람들'이란 뜻입니다. 교회의 원뜻은 예수님이 불러낸 사람, 몸값을 치르고 구원해 낸 사람, 구출해 낸 사람이란 의미입니다.

그래서 사도 바울은 첫 번째 아담으로부터 시작된 인간의 죄악, 부패, 타락을 반전시킨 이가 두 번째 아담인 예수님이라고 했습니다. 첫 번째 아담으로 인해 죄가 들어왔고 인류가 멸망의 길을 걸었다면, 예수님이 두 번째 아담으로 오셔서 신인류가 시작되었다는 의미입니다. 신인류란 새로운 피조물^{new creation}을 말합니다.

"그런즉 누구든지 그리스도 안에 있으면 새로운 피조물이라 이전 것은 지나갔으니 보라 새 것이 되었도다"^{고후 5:17}

예수님이 몸값을 지불해 새로운 피조물로 우리를 빚으셨다는 사실이 간단한 일로 보입니까? 그래도 십자가 사건이 무기력해 보입니까? 이 사건이 가져온 놀라운 영적 변화를 보고 아는 것이 매우 중요합니다. 그래야 우리가 어떤 상태에서 구원을 얻었는지가 이해되고, 그것이 우리를 어떻게 변화시켰는지도 알게 됩니다.

우리는 심각하게 묶인 노예 상태였습니다. 살아도 산 것이 아니었습니다. 그런 우리가 예수님의 몸값으로 새롭게 빚어져서 생령이 되었습니다.

아담과 하와가 선악과를 먹었는데 죽었습니까? 정녕 죽으리라 했는데 따먹고 죽었습니까? 안 죽었습니다. 에덴에서 쫓겨난 뒤 가인도 낳고 아벨도 낳고 오래오래 살았습니다. 그런데 왜 하나님은 선악과를 먹으면 정녕 죽으리라고 하셨을까요? 선악과를 탐하므로 아담과 하와는 실제로 죽었습니다. 영적으로 죽은 것입니다. 하나님과 관계가 끊어졌기에 영적으로는 이미 죽은 것입니다.

예를 들어 멋진 전나무를 크리스마스트리로 쓰기 위해 밑동을 잘라 시청 앞에 두고 장식을 했습니다. 아름답게 장식한 전나무는 잎이 파란 것이 싱싱하게 살아 있는 것 같습니다. 그러나 전나무는 이미 죽었습니다. 뿌리가 잘렸으니 더 이상 산 것이 아닙니다. 어부가 바다에서 물고기를 잡아 횟집의 수조에 담가 두었습니다. 그 물고기는 살았습니까, 죽었습니까? 살았으나 죽은 목숨입니다. 곧 손님상의 횟감으로 올려질 것입니다.

아담이 살았으나 죽었다는 것은 사실 이보다 더 심각한 상태입니다. 하나님과 관계가 끊어짐으로 세상에 죄가 들어왔습니다. 죄란 하나님과의 관계가 끊어진 것을 말합니다. 하나님과의 관계가 끊어진 원죄에서 죄가 계속해서 파생되어 나갔습니다.

첫 번째 사람 아담이 하나님과 단절된 뒤 그의 아들 가인이 동생 아벨을 죽이는 죄를 지었습니다. 그의 자손 라멕은 그보다 더 큰 살인과 죄를 저질렀습니다. 사사기에 이르면 토막 살인까지 일어납니다. 동성애도 아무렇지 않게 허용되었습니다. 이렇듯 죄는 계속해서 확산되어 갑니다. 우리는 죄가 세상에 들어온 후 세상이 어떻게 변했는지 잘 알고 있습니다. 그리고 그 죄는 지금도 계속되고 있습니다.

그렇다면 우리가 사는 세상은 여전히 죄 가운데 있는데 예수님이 다 이루셨다는 것은 무슨 뜻입니까? 무엇을 이루셨다는 것입니까?

사랑의 길 vs. 권력의 길

2차 대전 당시 독일군이 가장 강력할 때 연합군은 노르망디 상륙작전을 펴서 독일군의 허리를 잘랐습니다. 당시 연합군은 이 작전을 펴는 날을 디데이^{d-day}라고 했습니다. 결전의 날입니다. 이날은 전쟁 전체로 볼 때 연합군이 승리의 기틀을 잡은 날이요, 독일군이 패하기 시작한 날입니다. 그러나 1945년 히틀러가 자살을 하고 백기를 들어 종전되기까지 전쟁 상황은 치열했습니다. 마지막으로 연합군의 승리를 확인한 날을 뷔데이^{victory day}라고 합니다.

디데이^{d-day}에서 일본 왕이 항복함으로써 종전되는 뷔데이^{v-day}까지의 중간 기간이 우리가 사는 오늘날입니다. 다시 말해 예수님이 십자가를 지신 디데이에서 예수님이 다시 오셔서 심판하시는 뷔데이까지를 우리가 사는 것입니다.

연합군이 노르망디 상륙작전을 편 뒤 종전되기까지 사방에서 격렬한 전투가 일어났습니다. 독일군이 사생결단의 의지로 덤볐으니 그 어느 때보다 격렬했습니다. 한국전쟁이 일어났을 때도 마찬가지였습니다. 인천 상륙 작전이 펼쳐진 뒤 휴전이 되기까지 격렬한 전투가 이어졌습니다. 우리 인생도 디데이와 뷔데이 사이의 고난과 고통의 시간을 사는 것입니다.

예수님은 영적 전쟁에서 승리하기 위해 십자가를 지셨습니다. 열두 제자는 예수님이 로마 제국을 몰아내고 이스라엘을 다윗 시대의 영광으로 회복시켜 줄 것을 기대했습니다. 예수님을 메시아로 믿었기에 그런 기대를 한 것입니다. 당시 이스라엘 사람들도 제자들처럼 이스라엘에 그런 회복을 가져올 이가 메시아라 믿었습니다. 그러나 예수님은 권력의 길과 전혀 다른 길을 가셨습니다. 권력의 길이 곧 죄의 길이기 때문입니다.

흔히 죄의 길이라면 범죄해서 교도소로 가는 것으로 생각하는데, 죄의 길은 권력적 의지나 권력적 선택을 포함하는 길입니다. 하나님이 선과 악을 알게 하는 과실은 먹지 말라고 하신 이유도 여기에 있습니다. 우리가 선과 악을 판단하기 시작하면 반드시 정죄가 일어납니다. 내가 옳고 네가 틀렸다는 자기중심적인 주장을 하게 되는 것입니다. 더구나 힘을 가졌다면 폭력을 사용해서라도 내가 옳다는 것을 관철하려 듭니다. 더 높이 쌓으려는 바벨탑도 여기서 나온 것입니다. 죄인들은 바벨탑을 목적으로 삼습니다.

우리가 옳고 그름을 판단할 때는 이미 내가 옳다고 생각하는 쪽으로 끌고 가고자 하는 의지가 생깁니다. 이것이 곧 권력의지입니다. 따지고 보면 우리는 언제 어디서나 이 같은 권력 현상과 마주합니다.

남녀가 연애할 때는 좋습니다. 결혼식을 올리고 신혼여행을 다녀올 때까지도 좋습니다. 그런데 눈에 콩깍지가 벗겨지기 시작하면 옳고 그름을 분별하기 시작합니다. 이때부터 부부간에 파워게임이 시작됩니다. 권력의지는 정치인들만 갖는 것이 아닙니다. 사랑을 나누는 공간인 가정에 파워게임이 벌어지면 자녀들이 인질이 되기 쉽습니다. 경제 기반이 없는 아내의 경우 자녀를 인질 삼아 남편을 길들이려 듭니다. 아이를 울리거나 집을 나가 버리거나 하는 것이 그 방법입니다. 얼마나 많은 이 땅의 자녀들이 부모가 서로 벌이는 주도권 다툼의 인질이 되고 있는지 모릅니다.

죄인들이 있는 곳마다 그런 현상들이 나타납니다. 우리가 살아가는 모든 곳에는 이 같은 권력 현상이 보편적으로 존재합니다. 그러나 이 권력의지로는 인간의 문제를 본질적으로 해결할 수 없습니다. 그래서 우리는 하나님의 지혜가 필요합니다. 하나님의 지혜는 십자가 사건으로 드러났습니다. 누구든지 고난의 십자가 길을 원하지 않습니다. 더구나 충분히 왕이 될 수 있는 길을 버리고 말입니다. 그러나 예수님은 십자가의 길만이 문제 해결을 위한 유일한 처방임을 가르치고 보이셨습니다. 이것이 바로 하나님의 지혜입니다. 사랑의 길입니다.

우리는 누구든지 남보다 더 인정받고 싶고 높은 자리에 앉고 싶고 지시를 받기보다 지시를 내리는 자리에 앉기를 원합니다. 이 욕구가 권력의지이고, 죄의 길이며, 문제를 본질적으로 해결할 수 없는 한계의 길입니다.

아프가니스탄 전쟁을 치르고 나서 테러 문제가 해결되었습니까? 미국이 아프가니스탄 문제를 해결했습니까? 전혀 해결되지 않았어요. 한국 전쟁은 해결이 되었습니까? 도대체 이 권력을 가지고 해결할 수 있는 것이 무엇입니까? 하나님은 선과 악을 판단하는 것이 죄의 시작이자 곧 죽음의 길임을 말씀하셨고, 그래서 선악과를 금한 것입니다.

십자가 사건은 예수님이 능력이 없어서가 아니라 능력이 무한하지만 스스로 무장해제해 버린 사건입니다. 세상 사람은 능력이 있으면 권력을 잡고 높은 자리에 앉아서 지시하고 억압하려 하지만, 예수님은 그와 정반대의 길을 선택하심으로써 죄 문제를 해결하셨습니다. 권력의지는 끝없이 상향 욕구를 불태우지만 십자가는 끝없이 하향을 지향합니다. 무시당하고 능욕당하고 죄인 취급까지 당하는 자리를 지향합니다. 사람이면 도무지 선택할 수 없는 길입니다. 예수님은 아무도 가지 않았고 아무도 이해할 수 없는 길을 걷기 시작한 것입니다. 제자들이 볼 때는 얼토당토않은 길이었습니다. 그래서 오늘날 우리가 예수님이 가신 길을 따르고자 할 때 갈등이 생길 수밖에 없습니다. 상향지향적인 세상에서 하향지향의 길을 걸으려 하니 세상과 조화를 이룰 수 없는 것이지요.

예수님은 공생애를 시작하면서 가장 먼저 "회개하라"고 촉구하셨습니다. '돌이키라'는 것입니다. 상향지향적인 길에서 돌이켜 예수님이 모범으로 보여 주신 길을 따르라는 것입니다. 세상의 길은 인정받고 성공하는 길 같지만 그것은 죽음의 길입니다. 교회는 세상이 가지 않는 길을 힘써 가는 곳입니다. 만일 교회에 와서도 대접받고 싶고 인정받고 싶고 높은 자리에 앉고 싶다면 교회에 와도 여전히 세상의 길을 걷고 있는 것입니다. 교회가 세상과 동일한 조직을 만들고 동일한 운영 원리를 적용한다면 그것은 교회가 아닙니다. 그냥 세상일 뿐입니다. 예수님이 또 하나의 세상을 만들기 위해서, 우리끼리 천국을 맛보기 위해서 교회를 만들었을 리 만무하지 않습니까? 끝없는 권력의지를 버리고 상향지향의 길로부터 완전히 돌이키지 않는다면 교회는 제 길을 벗어난 것입니다.

교회는 십자가 위에 세워진 하나님의 공동체입니다. 권력의지를 스스로 포기한 사람들이 모인 사랑의 공동체입니다. 권력의 길로 갈 수 있지만, 그럴 능력이 충분하지만, 그 길로부터 돌이켜 사랑의 길, 십자가의 길을 걷기로 결정한 사람들이 모인 공동체가 교회입니다. 예수님은 이런 공동체를 만들기 위해 이 땅에 오셔서 십자가를 지신 것입니다.

교회는 권력의지를 포기해야 한다

그런데 우리는 안타깝게도 권력의 길을 가는 또 하나의 수단을 얻기 위해 교회에 오고 있습니다. 채워도 채워도 충족되지 않는 권력의지를 만족시키기 위해 하나님을 이용하려는 무리가 교회를 찾고 있습니다. 같이 예배드리고 말씀도 듣고 교제도 합니다. 어떻게 이런 일이 가능합니까?

우리가 권력의 길을 가고 싶은 탐심으로부터 해방되는 것이 구원입니다. 사랑의 길을 걷기로 결정하는 게 구원입니다. 더 이상 권력의지에 사로잡히지 않기 위해 죄로부터 해방되는 것이 구원입니다. 교회는 이런 구원이 일어나는 곳이어야 합니다. 그러므로 교회에서는 높은 자리 낮은 자리가 없습니다. 누구는 섬기고 누구는 대접받는 곳도 아닙니다. 누구는 명령하고 누구는 지시를 받는 곳이 아닙니다. 만일 교회에서 이런 구원이 일어나지 않는다면, 이런 원리로 작동되지 않는다면, 그것은 교회가 아닙니다. 그런데 안타깝게도 오늘날 이런 교회가 없어서 교회가 세상 사람들로부터 비난을 듣습니다. 세상과 구별되지 않은 이름뿐인 교회 때문에 교회가 오염되었습니다. 그래서 체스터톤 G. K. Chesterton은 예수님 이후에 기독교가 제대로 시도된 적이 없다고 말했습니다. 동의하기 어렵겠지만 이 땅의 기독교는 허상이라는 의미입니다.

예수님은 이 땅에 진정한 하나님의 공동체를 세우기 위해 십자가를 지셨고, 오직 십자가의 길만이 사랑의 길임을 알려 주셨습니다. 십자가로서만 교회가 탄생할 수 있음을 보여 주셨습니다. 그런데 오늘날 우리는 세상과 동일한 길을 걸으면서 교회를 세우고자 합니다. 출발이 잘못되었으니 교회가 교회답지 못할 수밖에요.

로마 교회 roman catholic 는 2천 년을 버틸 수 있는 시스템으로 작동되었습니다. 조선 왕조는 600년도 채 되지 않았습니다. 로마 교회는 제국의 통치 조직을 가졌고 어마어마한 재산을 가졌습니다. 오늘날 한국 교회를 보면 세상의 길을 그대로 따르던 로마 교회가 생각납니다. 이 땅의 교회가 정말 하나님의 교회라면 예수님께서 말씀하신 대로 한 알의 밀로 썩어져 많은 열매를 맺었을 것입니다.

"내가 진실로 진실로 너희에게 이르노니 한 알의 밀이 땅에 떨어져 죽지 아니하면 한 알 그대로 있고 죽으면 많은 열매를 맺느니라"요 12:24

여기서 열매란 무엇입니까? 흔히 열매를 많은 성도라고 생각합니다. 즉 큰 교회가 열매라고 생각하는 것 같습니다. 그런데 세계에서 제일 큰 교회가 되겠다는 것과 세계에서 가장 큰 전자회사가 되겠다는 것이 다르게 여겨집니까? 이 땅에서 가장 큰 교회를 하겠다는 것이 목적이라면 이 세상에서 가장 매출이 많은 기업을 하겠다는 것과 본질상 무엇이 다릅니까?

죄 의지가 권력의지라는 것, 그리고 인간의 본능으로 가는 길이 권력의 길이라는 걸 인정하지 않으면 우리는 교회만 다니면 십자가의 길로 들어섰다고 대단히 착각할 수 있습니다. 큰 교회가 많은 열매라고 착각할 수 있습니다. 사실 종교는 정치보다 더 무서운 권력일 수 있습니다.

우리는 교회에서 성도들과 교제를 합니다. 그런데 만일 그것이 권력의지를 가진 사람들 간의 인간관계라면 교회를 경험하는 것이 아닙니다. 세상과 다를 바 없는 세상을 경험할 뿐입니다.

다시 한 번 묻습니다. 이 땅의 진정한 교회란 무엇입니까? 하나님이 이 땅에 이루시고자 한 공동체는 어떤 것입니까?

이 질문을 날마다 되물으며 신앙생활을 하지 않으면 우리는 이미 우리 몸에 익은 본능의 패턴으로 돌아가고 맙니다. 집에 가면 부부싸움을 하고 직장에 가서는 동료들과 권력 다툼을 하며 교회에 와서도 힘겨루기를 하는 사람이 되는 것입니다.

교회는 십자가 위에 세워졌습니다. 하지만 우리가 개인적으로 십자가를 져본 적이 없다면, 십자가를 통과한 적이 없다면, 십자가 앞에서 내가 죽어 본 적이 없다면, 어떻게 교회를 세울 수 있겠습니까? 불가능합니다.

사랑의 길을 끝까지 가라

예수님을 만나야, 바로 알아야 그분과 동행하는 삶을 살 수 있습니다. 우리의 기준은 교회의 목사도 아니고 모범이 되는 성도도 아닙니다. 우리 모두는 그저 구원받은 죄인들입니다. 구원받은 죄인이라는 것은, 우리가 예수님의 놀라운 선물을 받았지만 여전히 죄의 속성에서 떠나지 못한 사람이라는 뜻입니다. 어떤 사람이건 잘해 봐야 구원받은 죄인일 뿐입니다. 그러므로 어떤 누구도 가치판단의 기준이 될 수 없습니다. 우리의 기준은 오직 예수님뿐입니다. 교회의 기준은 오직 예수님뿐입니다.

내가 사람들이 불쌍해서 십자가를 질 수 있습니까? 아닙니다. 더 필요하지도 않지만 예수님만이 우리를 위해서 십자가를 지실 수 있습니다. 다시 말해 예수님만이 우리를 사랑하십니다. 이 세상 어느 누구도 예수님만큼 나를 사랑하지 않습니다. 우리는 사랑이라는 이름으로 파워게임을 하고 사랑의 공동체를 세워 놓고도 세상의 권력 게임을 버리지 못합니다. 그렇기 때문에 우리는 어느 누구의 기준도 될 수 없습니다.

오직 예수님만이 사랑의 길을 놓으셨고, 뚫으셨고, 끝까지 가셨고, 우리에게 그 길을 오라고 초청하십니다. 사람의 초청을 따라가면 눈먼 자가 눈먼 자를 좇는 셈입니다. 탐욕스러운 사람이 자기 정체를 숨기고 사람들을 초청합니다. 예수님은 이런 사람들을 삯꾼 목자요 강도라고 불렀습니다. 신과 인간 사이에 누가 끼었든 그는 브로커일 뿐입니다. 그런데 하필이면 브로커한테 끌려서 돈 뜯기고 속임당하고 상함을 받아서야 되겠습니까? 사람을 좇아가면 그가 누구든 그것은 권력의 길입니다. 그 길은 좋아 보입니다. 그 길은 내게 성취감을 주고 왠지 성공을 줄 것 같습니다. 그러나 그 길은 그저 죽음의 길일 뿐입니다.

예수님은 권력의지를 버리고 사랑의 길로 들어오라고 우리를 초청하십니다.

"새 계명을 너희에게 주노니 서로 사랑하라 내가 너희를 사랑한 것 같이 너희도 서로 사랑하라 너희가 서로 사랑하면 이로써 모든 사람이 너희가 내 제자인 줄 알리라"요 13:34-35

교회라는 이름의 공동체를 이루고서도 우리가 권력의지에 사로잡혀 있다면 교회에 나올 이유가 없습니다. 여러분이 이왕에 예수님을 따르기로 결정했다면 끝까지 잘 따르기를 바랍니다. 실족하지 말고, 가다가 힘들다고 그만두지 말고 끝까지 예수님 한 분만 바라보고 가기를 바랍니다.

그런데 내 힘으로 예수님을 따를 수 있을까요? 못합니다. 내 힘으로 사람을 사랑할 수 있습니까? 못합니다. 그래서 우리는 예수님이 약속하신 성령을 날마다 초청해야 합니다.

우리는 성령을 받았습니다. 그러나 성령 충만을 사모하십시오.

우리는 그분에게서 능력을 받았습니다. 그러나 능력 충만을 사모하십시오.

내 힘으로 사랑의 길을 끝까지 갈 수 없기 때문입니다. 예수님이 십자가를 끝까지 지실 수 있었던 것도 하나님께서 세례받고 올라오시는 예수님께 사랑을 고백해 주셨기 때문입니다.

"너는 내 사랑하는 아들이라 내가 너를 기뻐하노라"^{막 1:11}

우리가 예수님을 만나면 예수님은 우리에게 뭐라고 말씀하실까요? "내가 너를 사랑하노라." 어디서 말씀하셨습니까? 십자가에서 말씀하셨습니다. 어떻게 표현하셨습니까? "다 이루었다"고 표현하셨습니다. 그분이 '다 이루었다'고 선포한 것은 인간의 권력의지에 쐐기를 박았다는 뜻입니다. 허리가 부러졌다는 뜻입니다. 그래서 그분을 만난 사람은 더 이상 권력을 지향하지 않습니다. 그분을 만난 사람은 더 이상 사람을 지배하고 압박하고 다루려 하지 않습니다. 이런 곳이 바로 천국입니다. 더 이상 권력의지가 작동하지 않고 사랑이 가득한 가정이 천국입니다. 더 이상 서로 경쟁하거나 힘겨루기하지 않고 사랑으로 하나가 되는 직장과 학교가 있다면 그곳이 바로 천국입니다.

그 천국을 이루려면 먼저 내가 십자가에서 죽어야 합니다. '나'라는 자아는 죄 덩어리입니다. 이 죄 덩어리는 고쳐 쓸 수 있는 존재가 아닙니다. 개선되거나 개혁될 수 있는 존재가 아닙니다. 물에 잉크가 한 방울만 떨어져도 그 물은 버려야 합니다. 새 물을 더 넣는다고 먹을 수 있는 게 아닙니다. 내가 죽어야 예수님이 이 땅에 세우고자 한 교회가 세워집니다.

예수님이 내가 져야 할 십자가를 지시고 돌아가셨습니다. 우리 대신 몸값을 지불하신 것입니다. 십자가에 예수님이 아니라 내가 달려 있음을 보지 않으면 우리는 절대로 그리스도의 길을 따르지 못합니다. 십자가에서 피를 철철 흘리고 죽어 있는 그 시체가 바로 나라는 것을 보지 않으면 우리는 절대로 권력의지로부터 자유로울 수 없습니다.

죄 덩어리인 우리는 무슨 일을 하건 본능적으로 권력의지를 더 강화할 뿐입니다. 그것이 비록 목회건 선교건 본능에 따라 몸을 의탁하면 모두 마찬가지입니다. 자기의 야망과 욕망을 무슨 이름으로 포장하건 예수님은 "내가 도무지 모른다"고 하실 것입니다. 그래서 우리는 십자가에 걸린 시체가 내 시체임을 바라보며 뼛속 깊이 전율할 때까지 십자가를 묵상해야 합니다. 거기서 내가 죽지 않으면, 거기에 죽어 있는 나를 발견하지 않으면, 잠시 기절할 수는 있어도 권력의지로부터 자유로워질 수는 없습니다. 이 권력의지가 우리의 인간관계를 질시와 반목과 갈등의 관계로 이끌어갈 것입니다.

오늘 돌이켜 사랑의 길을 결단하십시오. 적어도 집에서는, 교회에서는 권력의지를 뿌리 뽑겠다고 결단하십시오. 사랑이 식은 곳에 권력이 자랍니다. 사랑이 없는 곳에 죄가 자랍니다. 사랑하는 연인을 위해 비싼 레스토랑에 가서 비싼 음식을 먹는 것은 전혀 아깝지 않습니다. 사랑할 때는 따지지 않습니다. 그런데 결혼하면 점점 더 싸구려 음식을 먹습니다. 그것이 경제적이기 때문이 아니라 계산이 밝아졌기 때문입니다. 옛사람이 제정신을 차렸기 때문입니다. 어느 순간 지난 날의 옛사람으로 되돌아갔기 때문입니다.

나는 차라리 사랑에 눈먼 상태가 좋습니다. 머리로 따지면 사랑할 만한 구석이 하나도 없는 사람이지만 사랑에 눈이 멀어 사랑을 퍼주었으면 좋겠습니다. 예수님이 나 같은 사람을 위해서 십자가까지 지셨다면, 십자가에 걸린 것이 예수님이 아니라 나임을 뼛속 깊이 느낀다면, 적어도 내가 만나는 사람을 예수님 대하듯 해야 하지 않겠습니까? 사랑하고 또 사랑하고, 품어 주고 또 품어 주어야 하지 않겠습니까? 예수님이 우리에게 그런 것처럼 말입니다.

나는 우리 모두가 교회만 들어오면 눈물이 핑 돌았으면 좋겠습니다. 교회가 세상에서 힘들게 살다 온 사람들을 마음으로 품어 주었으면 좋겠습니다. 이것이 예수님이 이 땅에 세우시고자 한 교회입니다. 서로 독려하며 사랑의 길을 걷는 교회 공동체 말입니다. 이 세상의 어떤 조직도, 어떤 단체도, 어떤 기구도 무엇을 표방하건 권력의지에서 자유롭지 못합니다. 결국 권력의 길을 가게 되어 있습니다. 오직 교회만이, 예수님이 불러낸 사람들만이, 예수님이 몸값을 완전히 지불하고 죄로부터 풀어 준 교회 공동체만이 사랑의 길을 끝까지 걸을 수 있습니다.

나는 우리가 예수님과 함께 끝까지 사랑의 길을 걷기를 소망합니다. 그 사랑의 길 시작부터 끝까지가 다 하나님 나라입니다. 하나님 나라는 세상과는 본질적으로 다른 곳입니다. 그런 하나님 나라가 우리의 관계 속에, 우리 가정 속에, 교회 속에 이루어지기를 바랍니다.

WHY
WHY
WHY
WHY
WHY
WHY
WHY
WHY
WHY
WHY
JESUS

SIN

죄

판단을 버리고 분별함으로 죄에서 벗어나라

SIN

지금까지는 예수님을 알아 가는 서론에 해당했다면 이제부터는 주제가 무거워집니다. 이번 장에서 다룰 주제는 가장 심각하지만 본질적인 주제인 '죄'입니다. 예수님이 이 땅에 오신 이유를 탐구하기 시작하면 이 죄 문제를 지나칠 수 없습니다. 따라서 우리는 죄에 대해 깊이 묵상해야 합니다. 그렇지 않으면 예수님이 필요 없는 삶도 얼마든지 가능해집니다. 죄에 대한 심각성을 모르면 예수님을 이해할 길이 없습니다.

자기 사랑이 곧 죄다

sin, 즉 죄는 'self-interest nature'라 할 수 있습니다. 자기 자신에 몰

입하다가 생긴 것이 죄입니다. 자기 자신을 자꾸 탐닉하고 묵상하다가 죄가 생기는 것입니다. 그런데 자기를 묵상하는 게 나쁜가요? 그리스신화에 나오는 나르시스는 자기를 자꾸 들여다보다가 자기와 사랑에 빠져서 죽고 맙니다. 내가 좋아 보이는 것까지는 좋은데 그 어떤 것보다 더 좋아지는 건 문제입니다. 여기서 죄가 출발합니다.

우리는 원죄가 어떻게 생겼는지 잘 압니다. 부족한 게 없는 에덴동산에서 죄가 생겨났습니다. 하나님은 에덴동산에 모든 것을 충족시켜 놓고 딱 한 가지를 금하셨습니다.

"선악을 알게 하는 나무의 열매는 먹지 말라 네가 먹는 날에는 반드시 죽으리라"창 2:17

하나님이 여기서 금한 것이 무엇입니까? 선과 악을 판단하는 것을 금하셨습니다. 선과 악을 판단하면 죽으리라고 강력하게 경고하셨습니다. 왜 그렇습니까?

우리는 모든 것을 판단해야 산다고 생각합니다. 하지만 사실 분별해야 살 수 있습니다. 판단과 분별은 다릅니다. 우리가 매일 매 순간 해야 할 것은 판단이 아니라 분별입니다. 분별을 잘한다는 것은 지혜롭다는 의미입니다. 우리는 오늘 기온이 몇 도니까 옷을 두껍게 입어야겠다, 혹은 얇게 입어야겠다, 아니면 목도리를 해야겠다고 분별합니다. 그런데 분별을 잘 못하면 '저 사람은 왜 이 날씨에 목도리를 하고 나왔나',

'이 사람은 문제가 있다' 하면서 판단을 하게 됩니다. 판단이 심해지면 '저 사람은 도대체 돼먹지 않았어' 하는 데까지 가게 됩니다.

키가 작다, 크다는 분별에 해당합니다. 식욕이 좋다, 식욕이 떨어졌다 하는 것도 분별입니다. 이런 분별은 반드시 해야 합니다. 그러나 키가 작아서 실패자라고 단정짓는 건 판단입니다. 식욕이 왕성하니까 살이 돼지같이 쪘다고 하는 건 판단입니다. 이렇듯 판단은 옳고 그름, 선과 악으로 구분합니다. 하나님이 금하신 것은 분별이 아니라 판단이었습니다. 선과 악으로 구분하는 것을 하지 말라고 금지하셨습니다.

하나님이 디자인한 세상은 정말 다양합니다. 열대어를 보십시오. 하나같이 색깔도 모양도 다 다릅니다. 파란 고기, 빨간 고기, 조그만 고기, 사각 고기, 삼각 고기, 눈이 큰 고기, 눈이 작은 고기, 줄무늬 고기, 점박이 고기… 어쩌면 그렇게 하나같이 똑같지 않고 다르면서 예쁜지 모릅니다. 정말 경이롭습니다.

중동에 가면 어떤 나무는 나뭇가지들이 아래로 늘어지지 않고 하늘로 뻗어 있습니다. 가시덤불 같은 떨기나무가 있는가 하면, 높이가 100미터에 지름이 몇 미터 되는 거대한 나무도 있습니다. 천 년이 넘은 나무가 있는가 하면 이제 싹을 틔우는 나무도 있습니다. 하나님의 풍성함과 부요함이 얼마나 큰지 놀라울 따름입니다. 사람도 얼굴이 다 다르지요. 눈의 홍채 역시 사람마다 다르다고 합니다. 그래서 지문 인식기처럼 홍채 인식으로 출입을 통제할 수 있다고 합니다.

하나님은 이렇게 다양하고 풍성한 피조물을 지으시고 너무 좋았다고 하셨습니다. 하나님은 모든 피조물을 보며 옳고 그른 것으로 판단하지 않으셨습니다. 옳고 그름으로 바라보기 시작하면 세상은 한순간에 지옥이 되고 맙니다. 나와 같은 게 하나도 없는 세상이 견딜 수 없어지는 것입니다. 이처럼 내가 기준이 되는 순간 불행해지기 시작합니다. 그래서 하나님은 선과 악을 알게 하는 나무의 과실을 먹지 말라고 금하신 것입니다.

하나님은 사람을 지으시고 아담이라고 이름을 붙이셨습니다. 아담은 '흙'이라는 뜻입니다. 우리의 재료가 흙이에요. 하나님께서 호흡을 불어넣어서 우리가 생령이 되었지만, 그 전까지는 흙이었습니다. 호흡이 멈추고 인생이 끝나는 순간 우리는 흙으로 돌아갑니다.

하나님은 인간을 지으실 때 왜 흙을 사용하셨을까요? 흙은 가장 낮은 곳에 있는 것입니다. 모든 피조물이 몸을 움직이면 흙을 밟습니다. 흙이 우리의 정체성이고 출발점입니다. 이것을 기억해야 합니다. 하나님이 이 흙에 숨결과 생명을 불어넣지 않으셨다면, 우리는 진시황 무덤에 묻힌 수많은 토용과 같은 존재에 불과합니다. 하나님이 생명을 불어넣으시자 얼굴이 다르고, 피부가 다르고, 머리카락이 다른 사람들이 탄생했습니다. 그런데 나는 왜 이렇게 못생겼나, 나는 왜 대머리냐고 불평할수 있습니까?

성경은 아주 중요한 일에 대해서는 명령형으로 지시합니다. 인간의 본성을 따라서는 안 되는 것들에 대해 하나님께서 명령으로 금하시는 것입니다. "서로 사랑하라"도 명령으로 지시하셨습니다. 우리의 본성

대로 따르면 우리는 절대 사랑하지 않기 때문에 이런 명령이 떨어진 것입니다.

하나님은 동산의 각종 열매는 다 먹어도 된다고 하셨지만 선과 악을 알게 하는 나무의 열매는 먹지 말라고 명령하셨습니다. 아주 중요하기 때문에 명령하신 것입니다. 그런데 아담과 하와가 하나님이 금하신 것을 먹어 버렸습니다. 자기 자신에 대한 사랑이 너무 커서 하나님이 먹지 말라고 금하셨는데도 "설마 죽겠어?" 하며 따 먹어 버렸습니다. 그러자 육신은 여전히 살아 있지만 하나님과의 관계가 끊어졌습니다. 인간이 하나님의 자리를 찬탈한 것입니다. 하나님은 인간에게 옳고 그름을 판단하는 능력을 주지 않았습니다. 그 능력은 하나님께만 있습니다. 그런데 사람이 하나님만 가진 능력을 넘봄으로 죄가 시작되었습니다. 죄가 들어오자 급속도로 확산되었습니다. 죄의 전염 속도는 무서울 정도로 빨라서 나중에는 손을 써 볼 수 없을 만큼 온 세상에 죄가 퍼지고 말았습니다.

하나님은 이 죄의 문제를 해결하기 위해 세상을 쓸어버리기로 결정하셨습니다. 하나님의 말씀에 따라 방주를 만든 의인 노아와 그 가족만 살아남고 세상은 심판받았습니다. 그런데 노아는 방주에서 나오자마자 술에 취해 버립니다. 그리고 그 후손은 바벨탑을 쌓아 경쟁적으로 자기를 드러내는 데 온힘을 쏟습니다.

사막 한가운데 828미터의 고층 빌딩인 부르즈 할리파를 세운 아랍 에미리트에 가면 바벨탑이란 저런 것이구나 싶습니다. 그 높은 빌딩에 한번 올라가겠다고 전 세계에서 사람들이 몰려듭니다. 인간의 욕망이란 남보다 더 높이 바벨탑을 쌓아야, 그리고 기어코 그 꼭대기를 올라가야 직성이 풀리는 듯싶습니다. 그런데 그렇게 높이 지은 건물의 내부는 비어 있는 공간이 많습니다. 집을 몇 채씩 갖고 있는 돈 많은 사람들이 1년의 대부분을 비워 놓는 까닭입니다. 심지어 그 땅의 베두인들은 집이 있지만 조상 대대로 살던 텐트가 더 좋아서 텐트 생활을 하는 사람들이 적지 않습니다. 웃지 못할 일이지요.

죄에도 냄새가 있다

예수님이 이 땅에 오실 당시 죄가 얼마나 심각했냐면, 하나님이 400년 동안 침묵하실 만큼 심각했습니다. 말라기 이후에 성경은 침묵하고 있었습니다. 죄의 냄새가 진동해서 하나님이 코를 드실 수 없었을 것 같습니다.

어느 날 내가 33년간 마시던 술을 끊기로 결단했습니다. 그렇게 술을 끊고 얼마간 지내던 중 어느 오후 2시에 편집회의가 있었습니다. 당일 저녁 9시에 나갈 뉴스의 편집을 위해 모인 회의였습니다. 큰 탁자에 20명가량이 앉아서 부별로 뉴스 내용에 대해 회의를 하는데, 그날따라 내가 앉은 자리 양 옆으로 술을 마시고 들어온 부장들이 앉았습니다. 언론사의 간부들은 아침에도 술 마시고 낮에도 술 마신 채로 회의에 들어

오는 일이 다반사이기 때문에 이상한 일이 아니었습니다. 낮부터 삼겹살에 술을 마셨는지 그들이 숨을 쉴 때마다 마늘 냄새, 고기 냄새, 술 냄새가 확 끼쳐서 나중에는 머리까지 지끈거렸습니다. 순간, 내가 바로 엊그제까지 저러고 다녔는데 싶으면서 나와 결혼해서 13년간 이 냄새를 맡고 살았을 아내가 갑자기 머리에 떠올랐습니다. 아내는 나보다 후각이 열 배쯤 발달해서 저녁에 들어가면 낮에 먹은 음식까지도 알아맞히는 사람입니다. 그러니 밤마다 술 냄새로 진동하는 남편이 얼마나 괴로웠겠습니까? 갑자기 아내에게 너무 미안하다는 생각이 들었습니다.

죄에도 냄새가 있다는 것을 아십니까?

삼겹살 먹은 것이 죄라는 얘기가 아닙니다. 다만 낮부터 삼겹살에 술을 마시고 들어와 숨을 쉬는데 문득 이것이 죄의 냄새라는 생각이 들었습니다. 술을 끊었다지만 직업상 룸살롱에 따라다녔는데 거기에 앉아 있는 게 고역이었습니다. 술에 절은 카펫 냄새, 아무리 환기를 해도 지워지지 않는 담배 냄새, 룸살롱에서 나는 모든 냄새가 죄악의 소굴 냄새 같았습니다. 나는 그동안 이 구역질나는 냄새를 얼마나 즐겼던가 싶었습니다.

하나님이 왜 콧구멍을 두 개나 뚫어 놓았겠습니까? 왜 우리가 냄새에 예민하게 해 놓았겠습니까? 죄에도 냄새가 있음을 깨달았습니다.

오래전에 어떤 남자가 나에게 상담하러 온 적이 있습니다. 여자를 사귀면 오래가지 못하는데 자기한테 무슨 문제가 있는 게 아니냐고, 그것 때문에 괴롭다고 하소연했습니다. 하나님이 기도해도 가르쳐 주지 않는다고 하더군요. 그런데 나는 그와 마주보고 앉아 있으면서 그에게 어떤 문제가 있는지 단번에 알 수 있었습니다. 냄새 때문이었습니다. 구취는 물론 체취도 심해서 도무지 같이 앉아 이야기 나누기가 힘들었습니다. 나도 모르게 의자가 슬금슬금 뒤로 빠지고 얼굴을 마주보고 대화하는 것이 고통스러워 자꾸 고개를 돌리게 되는 겁니다.

내가 미국에서 사는 동안 김치찌개를 먹은 날 엘리베이터를 타면 미국 사람들이 고개를 돌리곤 했습니다. 냄새가 진동하기 때문이지요. 내가 아는 한 목사는 김치를 너무 사랑해서 웬만해선 얼굴을 붉히는 법이 없는데 아내가 김치를 버리면 화를 냈습니다. 그분은 거의 매일 김치찌개를 먹었습니다. 그런데 신학교에서 공부할 때 그 목사가 앉아 있는 자리는 장의자라도 같이 앉는 사람이 없었습니다. 여러모로 훌륭한 분이었지만 우리에게 그토록 정겨운 그 냄새가 미국 학생들에겐 고통이었기 때문입니다.

죄도 마찬가지입니다. 죄가 우리 몸에서 퍼져 나가기 시작하면 하나님도 우리와 함께 있을 수 없습니다. 냄새가 너무 고약해서 고개가 돌려지고 몸이 슬슬 뒤로 빠지게 되는 겁니다.

김치찌개를 먹는 게 죄라는 것이 결코 아닙니다. 죄의 냄새가 있는데 죄를 지은 본인은 그 냄새가 진동하는 줄 모른다는 뜻입니다.

죄 냄새를 나만 모른다

지붕을 뚫고 중풍병자를 달아 내린 이야기는 마태복음, 마가복음, 누가복음에 다 기록되어 있습니다. 특히 마가복음에 자세히 기록되어 있습니다. 이 중풍병자를 친구들이 데려왔습니다. 친구들은 중풍을 앓는 친구를 고쳐 주고 싶은 마음에 예수님을 뵈러 온 수많은 사람들을 제치고 새치기를 한 셈입니다. 그러니 질서를 지키지 않는다고 꾸지람을 들을 수 있었지만 예수님은 그들을 보자마자 이렇게 말씀하셨습니다.

"작은 자야 네 죄 사함을 받았느니라"^{막 2:5}

예수님은 왜 중풍병자에게 죄를 용서받았다고 말씀하셨을까요? 이 병자의 중풍이 죄로부터 비롯된 것이기 때문입니다. 다시 말해 죄책감 때문이었습니다. 예수님은 이 죄책감부터 해결해야 병이 깨끗이 낫는다는 것을 알려 주셨습니다. 그리고 중풍병자는 깨끗이 나아 스스로 침상을 들고 방에서 걸어 나갈 수 있었습니다. 그를 괴롭힌 죄책감으로부터 해방되자 육신의 병이 해결된 것입니다.

모든 병이 죄 때문이라는 것은 아닙니다. 맹인을 고쳐 주신 예수님께 이 병이 죄 때문이냐고 물었을 때 예수님이 "이 사람이나 그 부모의 죄로 인한 것이 아니라 그에게서 하나님이 하시는 일을 나타내고자 하심이라"^{요 9:3}고 한 말씀처럼 반드시 죄 때문에 병이 나는 것은 아닙니다.

146

예수님이 중풍병자의 죄를 용서하겠다고 하자 거기에 앉아 있던 서기관들이 '이 사람이 어찌 이렇게 말하는가 신성 모독이로다 오직 하나님 한 분 외에는 누가 능히 죄를 사하겠느냐'고 생각합니다. 그러자 예수님은 "인자가 땅에서 죄를 사하는 권세가 있는 줄을 너희로 알게 하려 하노라"며 그들과 논쟁하십니다. 이 말씀은 예수님이 왜 이 땅에 오셨는지, 어떤 사역을 하실지를 보여 주고 있습니다.

이 땅의 죄 문제를 우리 힘으로 해결할 수 있다면 예수님이 오실 이유가 없습니다. 800미터 높이의 고층 건물도 짓고, 1만 미터 깊이의 바닷속을 관찰할 수 있어도 우리가 도저히 해결할 수 없는 문제가 바로 죄 문제입니다.

요즘은 죄를 가볍게 여기는 이른바 다원주의 시대입니다. 다원주의는 세상의 어떤 것도 기준이 될 수 있다고 주장하며 죄 의식 자체를 무너뜨리는 아주 교묘한 사상입니다. 다원주의는 세상의 모든 것이 기준이 될 수 있기에 '진리는 없다'고 주장합니다. 이는 곧 하나님을 거부하고 하나님이 없어도 상관없다는 의미입니다.

죄는 하나님을 떠나는 것에서부터 시작됩니다. 죄는 절대적 기준을 거부하고 나를 모든 것에 선행하는 최우선 기준으로 삼는 일입니다. 하나님이 아담과 하와에게 선과 악을 알게 하는 과실을 먹지 말라고 하신 것도 하나님을 떠나서는 어떤 것과도 바른 관계를 지속할 수 없기 때문입니다. 하나님과의 관계가 단절되고 하나님과 상관 없는 삶이 된다는 것은 생명의 근원으로부터 멀어지면서 서서히 고사하기 시작한다는 뜻입니다.

우리가 마지막까지 하나님의 뜻을 묻고 그 뜻을 따라 순종하지 않으면 하나님과 점점 멀어지는 삶이 시작됩니다. 그 결과는 살인과 사기, 강간, 절도와 같은 끔찍한 죄악입니다. 내 이름을 드러내기 위해 누구보다 바벨탑을 높이 쌓습니다.

바벨탑 사건 이후 하나님은 아브라함을 불렀습니다. 아브라함을 통해 이스라엘 백성을 만드셨습니다. 400년 동안 애굽 땅에서 노예생활을 했더라도 어쨌건 번성시키셨습니다. 하나님은 이 백성으로 죄악 가운데 빠진 가나안을 심판하기로 결정하셨습니다. 하지만 이스라엘 백성은 가나안 땅에 들어간 뒤 다시 타락합니다. 죄를 짓습니다. 하나님을 떠나 버렸습니다.

하나님은 이스라엘 백성을 가나안 땅으로 인도하면서 십계명을 주셨습니다. 선과 악을 알게 하는 과실을 먹지 말라는 한 가지 계명이 열 가지 계명으로 구체적으로 만들어진 것입니다. 십계명은 우리가 선과 악을 판단하는 주관자가 아니라는 세부 지침입니다. 이 열 가지 계명을 지키면 하나님과의 관계가 이어진다고 말씀하신 것입니다. 이스라엘 백성에게 하나님과 계속해서 관계를 맺고 살아가는 조건이 새롭게 주어진 것입니다. 이 열 가지를 지키면 하나님의 백성으로서 살아갈 것이라고 말씀하신 것입니다.

그런데 이스라엘 백성은 이 계명을 지켰습니까? 그들은 모세가 산에 올라간 사이 금송아지를 만들어 제사를 드렸습니다. 가나안 땅에 들어가서는 하나님 대신 우상을 숭배했습니다.

유대인들은 그러나 이 십계명을 지킨다는 것을 입증하기 위해 그보다 더 세부적인 규정을 만들었습니다. 안식일의 규정만 300여 가지로 늘어났습니다. '얼마나 철저해야 안식일을 지키는 것인가? 무엇을 하지 말아야 하는가?' 하는 따위의 규정이었습니다.

유대인은 이렇게 구체적인 규정까지 만들어 놓고는 오히려 더 많은 선과 악을 판단했습니다. 열 가지 계명을 오히려 사사건건 다른 사람들의 선과 악을 판단하는 재료로 사용했습니다. 더 나아가서는 유대인들이 만든 613가지의 구체적인 규정을 가지고 모든 사람들의 선과 악을 판단하는 기준으로 삼았습니다. 그렇기에 예수님이 오신 것입니다.

죄란 이렇게 무섭게 번식합니다. 사탄은 이렇듯 하나님이 주신 최선도 살짝 비틀어 최악으로 만들어 버립니다. '지켜라'가 '남보다 더 잘 지켜라'로, 이것이 다시 '남보다 철저히 지켜라. 네가 그 사람보다 나아야 되지 않겠냐'로 확장시키며 그 마음에 판단을 심습니다. 내가 남보다 옳다고 여기는 순간부터 마수에 걸려드는 것입니다. 우리 인간의 실존적 괴로움의 뿌리가 여기에 있습니다.

판단하는 것이 죄의 뿌리다

하나님은 그렇게 이스라엘 백성마저 무너지는 것을 보고 안타깝고 애가 타서 다시 이스라엘 땅에 예수님을 보내 주셨습니다. 그래서 예수님이 하신 가장 중요한 일이 우리가 어찌할 수 없는 이 죄를 뿌리째 끌어안고 십자가에서 돌아가신 것입니다. 우리가 십자가를 경험한다는 것은 예수님과 함께 죽음을 경험한다는 것입니다. 예수님과 함께 죽음을 경험한다는 것은 예수님이 끌어안고 죽은 죄의 문제를 우리가 같이 끌어안고 죽었다는 의미입니다.

예수님이 끌어안고 죽은 죄의 본질은 무엇입니까? 옳고 그르고를 판단하는 버릇, 습관, 사고체계, 삶의 방식 모두입니다. 그래서 예수님을 만난 사람은 옳고 그름을 판단하는 것에서 자유로워져야 합니다. 이 놀라운 자유를 경험하지 않았다면 우리는 크리스천이 아닙니다. 크리스천들이 옳고 그름을 가지고 싸운다는 것은 덫에 걸려도 단단히 걸린 것입니다.

누가 더 옳은가를 가리기 위해 싸웁니까? 그것은 내가 하나님 자리를 넘보는 것임을 명심하십시오. 하나님 자리를 넘보는 것이 죄의 뿌리임을 잊지 마십시오. 크리스천으로 10년, 20년 살았어도 여전히 내가 옳다고 주장한다면 크리스천이 아닙니다.

영접기도 하고, 주일에 헌금하고, 설교 듣고, 가끔 성경 보면 크리스천입니까? 죄가 뿌리 뽑히지 않으면 교회를 다녀도 여전히 불행합니다. 여전히 기쁘지 않습니다. 여전히 만족스럽지 않습니다.

어떤 장로는 십일조 때문에 마음이 많이 상했다고 합니다. 그동안 익명으로 십일조를 해왔는데 그걸 몰랐던 목사가 장로가 돼서 십일조도 안 한다고 비난한 것입니다. 본인에게 먼저 물어보았으면 그런 일이 없었을 텐데 우선 판단부터 하고 나쁜 사람이라고 낙인을 찍어 버린 것입니다. 교회에서, 그것도 목사가 이 판단하는 죄로부터 자유롭지 못한 것이 오늘 우리 교회의 현실입니다. 죄 문제가 얼마나 심각한지 모릅니다.

또 교회의 직분이 무슨 권력이나 명예가 되는 것으로 착각하는 사람들이 있습니다. 그래서 교회가 무엇인지 제대로 모르는 비기독교인들에까지 교회 직함을 내세우는 사람들이 있습니다. 교회는 세상과 구별되었지만 차별된 곳이 아닙니다. 마찬가지로 직분 역시 차별을 위해 주어진 것이 아닙니다.

반면에 목사나 장로는 누구보다 믿음이 좋아야 한다는 편견에 사로잡힌 사람도 있습니다. 설사 목사나 장로일지라도 믿음이 흔들릴 수 있습니다. 미숙한 성품일 수 있고 연약한 사람일 수도 있습니다. 그에게 그런 모습을 보았다면 사랑으로 기도해 주십시오. 그것이 예수님이 머리 된 교회에서 지체가 해야 할 일입니다.

우리가 예수님을 만나면 죄로부터 자유로워지는 것이 맞습니까? 예수님이 우리 죄 때문에 돌아가셨다는 것을 믿습니까? 죄로부터 자유로워진 삶이 어떤 것인지 이제 분명히 아셨습니까?

나는 크리스천들끼리 결혼하고는 몇 달 만에 부부가 싸워서 헤어지는 모습도 보았습니다. 신혼여행 갔다가 신랑이 홧김에 신부에게 수건을 던진 것이 발단이 돼서 기어이 헤어지고 말았습니다. 안타까운 것은 두 젊은이의 부모들이 다 크리스천이었지만 이 행위를 용서하지 못했다는 것입니다. '수건을 던지는 것은 용서할 수 없을 만큼 나쁘다'라고 판단했기 때문입니다. 감정이 격해지면 수건을 던질 수 있지요. 또 우선 왜 그런 행동을 했는지부터 물어보아야 합니다. 하지만 수건을 던지면 나쁘다, 절대 용서할 수 없다고 이미 판단하고 결정해 버리니까 그 많은 하객들 앞에서 부부가 되기로 약속하고 하나님 앞에서 끝까지 함께 살겠다고 서약해 놓고는 헤어져 버린 것입니다.

예수님이 십자가에서 하신 일이 무엇인지 안다면 어떻게 고작 수건 던진 일을 절대 용서할 수 없다고 할 수 있습니까? 그것이 판단 기준이면 우리는 벌써 수천 번 죽어야 했습니다. 예수님이 몸값으로 치러서 죄를 용서받은 우리가 어떻게 이만 한 일로 부르르 떨며 분노할 수 있습니까? 결코 수건을 던진 걸 잘했다는 것이 아닙니다. 그러나 일생의 약속을 깨야 할 만한 일도 아니지 않습니까?

예수님 당시의 바리새인들이 오늘날 우리와 똑같았습니다. 바리새인은 스스로 하나님을 너무나 사랑하고, 율법을 잘 지키고, 옳은 삶을 산다고 믿었습니다. 그래서 자기처럼 살지 않는 사람들을 판단하고 비난하고 정죄했습니다. 용서를 모르는 삶을 산 것입니다.

오늘날 교회를 다니는 남자들은 술 담배 안 하고 바람 안 피우고 헌금 좀 하면 좋은 크리스천으로서 산다고 생각합니다. 여자들은 남편이나 아들을 목사나 장로로 만들면 대단한 믿음의 가문이 세워진 것처럼 생각합니다. 예수님이 동의하실까요? 크리스천들끼리 걸핏하면 서로 시빗거리를 만들고 험담하고 고소한다면 예수님께서 이들도 내 제자라고 감싸 주시겠습니까?

죄란 이기심입니다. 그러니 이기적인 크리스천이란 성립되지 않는 말입니다. 그런데 실제는 어떻습니까? 오늘날 크리스천들이 세상 사람들과 마찬가지로 손해 보면 못 참고, 손해 볼까 두려워하고, 자녀들에게조차 절대 손해 보지 말라고 가르친다면 누가 예수님을 알려고 하겠습니까? 자녀가 고3이면 주일 예배에 빠지더라도 학원에 보내다가 수능시험 보기 100일 전쯤부터 새벽기도 나오고 중보기도를 부탁합니다. 그러다 자녀가 대학에 떨어지면 하나님을 원망합니다. 그런 부모의 신앙을 보고 자란 자녀들이 어떻게 바른 신앙을 가질 수 있겠습니까?

우리의 죄가 얼마나 심각한지 모릅니다. 내가 여전히 죄의 사슬에서 벗어나지 못한 것을 알지 못하면 우리 삶에 예수님이 필요 없습니다. 교회에 나간다고 해도 예수님을 믿는 게 아닙니다. 아직 예수님을 만나지 못했습니다.

주님 앞에서 통곡하며 내 죄를 낱낱이 드러내고 주님이 그 죄를 해결하셨음을 믿음으로 받아들이는 것이 구원입니다. 그래서 더 이상 예전과 같이 판단자의 자리에 앉지 않는 것이 구원입니다. 사람을 판단하지 않는 훈련이 성화의 과정입니다. 이 세상에서 가장 크고 위대한 자유는 판단으로부터 자유로워지는 것입니다. 모든 심판은 하나님께 맡겨야 합니다.

무슬림들은 겉만 보면 사실 판단하지 않는 자유를 가장 잘 누리는 사람들입니다. 그들은 남의 것을 슬쩍하고도 "인샬라" 합니다. 아무것도 판단하지 않고 그저 "인샬라" 하는 것입니다. 내가 중동에 가서 안 사실인데, 무슬림들은 누군가 도로변에서 차를 고치고 있으면 절대 그냥 지나치지 않는다고 합니다. 한낮의 열기가 워낙 뜨거워서 그냥 내버려두면 죽을지도 모르기 때문입니다. 도움을 요청하지 않아도 "도와줄까?", "어떻게 할까?" 하며 기꺼이 도와줍니다. 또 무슬림들은 라마단 기간이 끝나고 나면 화해하는 시간을 갖습니다. 이것을 '할랄 비할랄'이라고 합니다. 누구한테든 가서 내가 그동안 당신에게 알게 모르게 지은 죄를 용서해 달라고 말하고 다닙니다. 회사에서도 사장과 직원들이 서로 화해의 시간을 갖고 끌어안고 울곤 합니다.

나는 교회에서도 이런 시간이 필요하다고 생각합니다. "내가 교회 다닌다고 알게 모르게 당신을 언짢게 만들고 하나님을 섬긴다고 하면서 이 사람 저 사람 마음 상하게 한 것 미안하다" 해야 합니다. 서로 뜨겁게 화해하고 포용하는 시간이 필요합니다. 교회에 오면 판단하는 것이 아니라 화해하고 사랑해야 합니다. 그리고 가능하면 개인 이야기보다 공동체를 화제로 삼아야 합니다. 그것이 교회이기 때문입니다.

교회는 예수님의 지체가 된 사람들이 모인 곳입니다. 예수님의 피와 살에 참여한 사람들의 모임입니다. 우리는 교회 공동체에서 예수님을 머리로 삼고 각각 손과 발 등으로 지체가 된 사람들입니다. 누구든 공동체 안에서는 판단할 수도 없고 판단해서도 안 됩니다. 눈이 코를 판단할 수 없고, 손이 발을 판단할 수 없는 것입니다. 그래서 예수님을 만난 사람, 예수님 안에서 죄 문제가 해결된 사람들만이 이룰 수 있는 것이 교회이며 진정한 공동체입니다. 예수님을 만난 사람들이 아직 예수님을 만나지 않은 사람들을 품어서 예수님의 제자로 만드는 공동체가 되어야 합니다.

죄의 본질에 관한 문제를 심각하게 생각하지 않으면 예수님이 필요 없습니다. 그래서 사람들이 교회에 와서 예수님을 만나기 원하지 않고 오히려 사람을 만나려 하고, 이 목사 저 목사를 따라다니는 것입니다. 죄 문제를 심각하게 여기는 사람은 언제 어디서든 예수님이 필요합니다. 사람이나 목사는 하나님 일을 함께하는 동역자로서 필요할 뿐입니다. 우리는 예수님만 따라다녀야 합니다.

그런데 세례를 받고 나면 사람들이 자기 죄를 들여다보지 않습니다. 의인이 된 줄 압니다. 세례를 받고 나면 점점 더 죄에 민감해져서 많은 죄가 눈에 들어오는 게 크리스천의 삶입니다. 나는 그토록 좋아하던 술과 담배가 냄새도 맡기 싫을 만큼 민감해졌습니다. 예수님 안에서 모든 것이 회복되었기 때문입니다. 구원은 곧 회복을 의미합니다. 회복이 되면 죄에 대해 민감해집니다. 그런데 남의 죄보다는 내 죄에 대해 더욱 민감해져서 자꾸 나를 들여다보고 내려놓고 깨뜨립니다.

우리는 용서받은 죄인일 뿐이다

죄인의 특성이 무엇입니까? 첫째, 자기가 죄인인 줄 모르고, 둘째

자기 죄 냄새를 못 맡고, 셋째 남을 향해 손가락질을 하고, 넷째 서로 다투고 갈등합니다. 사탄은 우리에게 죄를 심습니다. 이유가 무엇입니까? 가장 먼저는 우리와 하나님을 분열시키기 위해서입니다. 하나님과 떼어 놓은 뒤에는 사람들끼리도 이간질시켜서 분열시킵니다. 서로 미워하고 저주하고 심지어 죽이기까지 죄가 고루고루 스며들게 합니다.

사탄은 가룟 유다에게 예수님을 팔아 버릴 생각을 심었습니다. 사탄은 오물을 뿌리듯이 죄를 뿌리고 다니며 하나님과 분열시키고 사람들끼리도 분열시킵니다. 끊임없이 판단하게 만드는 것입니다. 저런 사람이 왜 교회에 나오나, 왜 장로가 십일조 안 하나, 왜 주일 예배에 옷을 저렇게 입고 오나, 끊임없이 판단하고 정죄합니다. 이런 사람들의 특징은 자기 안의 죄는 보지 못한다는 것입니다. 온통 네 탓, 환경 탓하며 가는 곳마다 싸움이 있고 다툼이 있고 갈등이 있습니다. 이런 사람들에게 예수님은 이렇게 말씀하실 것입니다.

"건강한 자에게는 의사가 쓸데없고 병든 자에게라야 쓸 데 있나니
내가 의인을 부르러 온 것이 아니요 죄인을 불러 회개시키러 왔노
라"눅 5:31-32

우리는 모두 용서받은 죄인일 뿐입니다. 사탄은 구원받았다고 안심하는 사람들에게도 계속해서 죄를 뿌리고 다닙니다. 그래서 우리는 내가 죄인이라는 사실을 깨어 자각하고 있어야 합니다. 죄에 예민해서

날마다 회개해야 합니다. 나를 이롭게 하는 것에 관심의 촉각을 세울 게 아니라 죄에 대해 관심을 가지고 성화의 길을 가야 합니다. 성화의 과정을 살아가는 것이 곧 구원을 이루는 삶입니다.

구원은 현재 진행형입니다. 우리는 과거에 구원을 받았습니다. 사망에서 생명으로 옮겨졌습니다. 그러나 성화의 과정에서 죄에 대해 민감해진 탓에 날마다 죄와 피를 흘리기까지 싸워야 합니다. 그렇지 않으면 사탄이 뿌리고 다니는 죄에 걸려 자기도 모르게 전보다 더 많은 판단을 하게 됩니다. 이간질하고 분열시키는 사탄의 올무에 걸려 가룟 유다가 될 수 있습니다. 예수님과 전혀 상관없는 삶을 살 수 있습니다. 오늘날 교회들을 보십시오. 하나님의 은혜로 부흥을 경험했지만 어느새 서로 분열하고 싸우고 갈등하지 않습니까? 피 흘리기까지 죄와 싸우지 않으면 우리는 모두 사탄의 희생자가 되고 맙니다.

크리스천은 세상과 구별된 삶을 살지만 차별하지 않는 사람들입니다. 왜냐면 주님이 우리를 차별하지 않고 받아 주시고 구원해 주셨으니까요. 크리스천은 주님의 사랑에 빚진 자가 되어서 사람을 차별하지 않고, 심판하지 않고, 판단하지 않고 그 모습 그대로 받아 주기로 결단한 사람들입니다. 죄인들은 나부터 대접해 주면 나도 대접하겠다고 말합니다. 그러나 크리스천은 먼저 대접하고 먼저 존중하고 먼저 사랑하는 사람들입니다.

"남에게 대접을 받고자 하는 대로 너희도 남을 대접하라"눅 6:31

좋은 자녀 교육이란 자녀의 모습 그대로를 사랑해 줬더니 자녀가 나중에 부모가 바라는 모습으로 변해 가는 것입니다. 남편에게는 "고생했다, 수고했다"고 말하십시오. "당신하고 살아서 내 인생이 얼마나 행복한지 모르겠어. 하루하루 눈뜰 때마다 행복해" 하십시오. 남자는 보기보다 단순해서 존중받고 인정받으면 하늘을 나는 것처럼 기분이 좋습니다. 아내의 칭찬이 남편을 변화시킵니다. 이것이 크리스천의 사랑이고 지혜입니다.

우리가 교회를 잘못 다니면 이제 내가 남다른 의인이 된 줄 알고 이웃을 판단하고 정죄하면서 더 심각한 죄를 키웁니다. 이제 이렇게 기도하십시오. 과거 이스라엘 사람들이 재를 뒤집어쓰고 옷을 찢고 회개한 것처럼 가슴 깊이 회개하고 돌이키십시오.

"예수님, 나는 죄인입니다. 예수님이 아니면 참으로 흉악한 죄인입니다. 오직 예수님으로 인해 구원받은 죄인입니다. 이제 다시는 사람을 심판하고 판단하는 자리에 서지 않게 하옵소서. 그 사람이 어떤 옷을 입건, 헤어스타일이 어떻건, 화장을 어떻게 하건, 어떤 차를 끌고 다니건 그 모습 그대로 받아들이고 다만 사랑하게 하옵소서. 이제 판단하는 습관을 버리고 분별함으로 죄에서 벗어나 자유를 누리며 살게 하옵소서. 세상과 구별된 삶을 살되 세상 사람 누구도 차별하지 않는 삶을 살게 하옵소서. 그리하여 원죄로부터 자유하는 삶을 살게 하옵소서. 예수님 이름으로 기도합니다. 아멘."

WHY
WHY
WHY
WHY
WHY
WHY
WHY
WHY
WHY
WHY
WHY
JESUS

7강

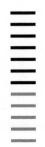

GRACE
은혜

은혜를 경험하면 사랑밖에는 할 수 있는 게 없다

GRACE

"너희는 그 은혜에 의하여 믿음으로 말미암아 구원을 받았으니"^{엡 2:8}

에베소서 2장 8절 말씀을 영어성경^{NIV}으로 보면 "For it is by grace you have been saved, through faith"입니다. 여기서 faith는 '통로'입니다. 믿음은 은혜가 흘러가는 통로입니다. 구원의 핵심은 은혜에 있습니다. 구원은 은혜의 사건입니다. 우리의 신앙생활은 건조한 삶이 아니라 은혜 때문에 날마다 넘치는 감동과 기쁨을 경험하는 삶입니다. 은혜는 예수님 때문에 신앙의 본질로 각인된 단어입니다.

과연 무엇이 은혜입니까? 우리는 흔히 설교가 너무 은혜로웠다고 말하는데 과연 그것이 은혜일까요? 어떤 목사의 설교는 전혀 은혜가 없다고 말하는데 정말 은혜가 없는 겁니까? 순전히 내 기준으로 은혜가 있다, 없다고 판단하는 것이 아닙니까? 여기서 은혜가 있다는 말은 설교가 만족스럽다는 말로 바꿔도 의미가 다르지 않습니다. 다시 말해 오늘 당신의 설교가 나를 만족시켰다, 내 코드에 맞아 내가 이해할 수 있는 설교를 들었다. 그래서 내 마음이 조금 열렸다. 예수님을 조금 알 것 같다, 그런 의미입니다. 어쨌든 값없이 기쁨과 만족을 느꼈으니 은혜에 가까이 간 건 사실입니다. 그러나 은혜의 본질과는 상관없는 발언입니다.

은혜는 뜻밖에 온다

나는 보스턴에서 신학교를 다녔는데 2004년에 대단히 충격적인 사건을 만났습니다. 그 해 보스턴 레드삭스Boston Redsox가 월드 시리즈에서 우승을 한 것입니다. 비록 여섯 번째 우승이지만 86년 만에 이룬 쾌거였습니다. 미국인들의 야구 사랑은 상상을 초월합니다. 86년 만에 이룬 쾌거이니 보스턴 시가 들썩거릴 만큼 모든 사람이 흥분의 도가니였습니다. 우리 큰아이가 멋모르고 뉴욕 양키즈 모자를 쓰고 등교했다가 졸업할 때까지 뜻밖의 고난을 겪었습니다. 레드삭스의 홈구장인 보스턴에서 라이벌 팀의 모자를 썼으니 아이들로서는 도무지 용납할 수 없었던 것이지요.

게다가 그 해 아메리칸풋볼에서 패트리어츠 팀이 우승하고, 농구에서는 셀틱스가 우승하는 겹경사가 줄을 이었습니다. 온 도시가 미쳐도 그렇게 미칠 수 있을까 싶을 만큼 열광을 하는데 아이들이 학교까지 쉬고 레드삭스를 환영하러 펜웨이파크 구장에 갔습니다.

그런데 정작 내가 충격을 받은 것은 신학교 교수들이 수업 시간에 어느 누구라 할 것 없이 레드삭스 이야기에 열을 올린 것입니다. 당시 내가 다니던 신학교에는 정말 존경스런 교수들이 많았습니다. 방학이면 자비량으로 아웃리치를 다녀오는 등 영성이 뛰어난 분들이었습니다. 특히 구약학을 가르치신 존 스튜어트John Stuart 교수는 자녀가 다섯이나 있는데도 세 명의 아이들을 입양해서 키웠습니다. 또 하버드 출신의 키지리안 교수는 새 학기가 시작되기 전날이면 강의실에 나와 그 다음날부터 새로 입학하는 학생들이 앉을 책상을 하나하나 쓰다듬으며 그들을 위해 기도했습니다. 예수님의 신실한 제자가 되게 해 달라고 밤이 깊도록 기도했습니다. 아무한테도 알리지 않고 혼자 몰래 기도하는 걸 내가 우연히 지나가다 보게 되었는데 그때 받은 감동이 지금도 생생합니다. 그렇게 기도로 학생들을 사랑하고 섬겼지만 절대 적당히 봐주는 법이 없이 엄격한 분이었습니다. 그런데 그분이 보스턴 레드삭스가 우승한 기념으로 우리의 시험 성적을 2점씩 올려 주었습니다. 나는 우승 전날에 본 헬라어 시험에서 98점을 맞았는데 2점을 올려 주는 덕분에 100점을 맞게 되었습니다. 온 도시가 열광하는 것은 그럴 수 있다지만 이토록 영성이 뛰어난 교수들조차 너무 기뻐서 어떻게든 그 기쁨을 나누고 싶어 하는 모습이 너무 놀랍고 은혜로웠습니다. 나는 지금도 그때 받은 은혜를 잊을 수 없습니다.

기분이 좋다고 점수를 더 주는 건 원칙에 어긋나는 행동입니다. 하지만 기쁨을 나누고 싶어 하는 그 마음은 너무나 은혜로운 것입니다. 하나님이 우리의 죄를 묻기로 작정하신다면 우리 중에 살아남을 사람은 아무도 없을 것입니다. 그런 우리를 하나님은 너무 사랑하셔서 아들을 십자가에 내어 주고 구원해 주셨습니다. "이제부터 넌 자유야"라고 은혜를 선포하신 것입니다. 이 사실을 분명하게 깨닫지 못한다면, 우리는 결코 종교인에서 신앙인으로 넘어서지 못합니다. 율법 시대를 산 구약의 이스라엘 백성처럼 교회를 다니면서도 여전히 율법에 얽매여 사는 종교인에서 한 치도 벗어나지 못하는 것입니다. 율법이 지배하는 곳에는 갈등이 있고 다툼이 있습니다. 은혜가 지배하는 삶으로 접어들어야 참다운 신앙인으로 살 수 있습니다.

우리는 죄인입니다. 지금도 여전히 죄를 짓고 있습니다. 그러나 우리는 하나님이 우리를 은혜로 품어 주심을 알기 때문에 은혜의 자리로 성큼성큼 겁 없이 걸어나가는 것입니다.

보스턴 유학 시절 보스턴온누리교회를 개척할 당시는 정말 힘든 일이 많았습니다. 한 성도 집에서 기도 모임을 갖다가 얼마 뒤 작은 공간을 빌려서 예배를 드렸습니다. 그러다 다시 보스턴 시내 미국인 교회를 주일에 네 시간 빌려서 예배를 드리기 시작했습니다. 그런데 이 교회가 우리 예배가 끝난 직후에 동성애자들한테도 예배 공간으로 빌려 주었는데 서로간에 여러 모로 불편했습니다.

몇 명 안 되는 성도들이었지만 어떻게든 독립된 교회 건물이 있어야겠다는 생각이 간절했습니다. 부동산중개업을 하는 성도를 통해 우리가 옮길 수 있는 장소를 물색했습니다. 보스턴 북서쪽 우번에 있는 한 미국인 교회가 건물을 팔기로 했다는 소식을 듣고 달려갔습니다. 우여곡절 끝에 이 교회 건물을 사기로 했지만 무일푼이었습니다. 두어 사람이 서울로, LA로 돈을 구하러 다녔습니다. 참으로 힘들게 예배당을 마련하고 온 성도가 힘을 모아 리모델링을 한 뒤 첫 예배를 드리는데 그 기쁨은 이루 말할 수 없었습니다. 예배 때마다 눈물이 있었습니다.

이후 성도가 갑작스럽게 늘어나더니 600여 명으로 불었습니다. 그러나 이 성장이 꼭 축복이라고 할 수 없다는 것을 깨달았습니다. 성숙한 신앙을 가진 사람들이 태부족이어서 새로 오는 성도들을 품어 주고 양육하는 것이 불가능한 상황이었습니다. 늘 불 앞에 앉은 아이를 쳐다보는 심정이었습니다. 오늘은 또 교회에 무슨 일이 일어날까, 누가 또 이런 저런 말을 뒤섞어 교회를 한바탕 뒤흔들어 놓을까.

나는 너무 혼란스러웠습니다. 서울에서 온누리교회를 다닐 때는 한 번도 경험해 보지 못한 일들이 시도 때도 없이 터졌습니다. 미국에는 교회 건물을 따로 가진 한인 교회가 별로 많지 않은데다 서울 온누리교회의 비전교회가 세워졌다니까 사람들이 빠른 속도로 늘어나 날마다 북새통이니 도무지 감당이 안 되었습니다. 사실 빈손으로 건물을 사고 리모델링하느라 교인들의 고생이 이만저만하지 않았습니다. 정말 죽을 고생을 해서 교회를 세웠는데 정작 교회가 교회답지 못했습니다. 나는 심각한 회의에 빠졌습니다.

166

'도대체 사람들은 왜 교회에 오지? 우리가 왜 교회까지 와서 싸우지?'

나는 주일이 돌아오는 것이 점점 고통스러웠습니다. 기쁨을 모두 잃어버렸습니다. 몸도 성하지 않아 심장수술을 두 번이나 하고, 입이 두 번이나 돌아갔습니다. 입이 두 번째 돌아간 때였습니다. 한 달간 치료를 받았는데도 큰 차도가 없던 어느 날 집에 누워 있는데 눈물이 하염없이 흘렀습니다. 과연 내가 하나님께 부름받은 게 맞나, 하나님께 부름받았다면 왜 이런 시련이 그치지 않나 싶어 눈물이 마르지 않았습니다. 그런데 그 순간에 문득 추어탕이 너무 먹고 싶었습니다. 왜 갑자기 그 상황에서 추어탕 생각이 나는지 이해할 수 없었지만 추어탕 생각이 너무 간절해서 참을 수가 없었습니다. 그렇다고 전도사 체면에 하나님한테 "추어탕 먹고 싶어요. 먹게 해주세요" 하고 기도할 수도 없는 일이라 속으로 삼켰습니다.

그런데 하루는 날씨도 엄청 추웠지만 눈보라가 있을 것이라는 일기예보가 있었습니다. 언덕 밑에 있던 기숙사는 눈이 오기 시작하면 바람을 따라 언덕에서 굴러 떨어진 눈까지 쌓여서 보통 50~70센티미터까지 눈이 쌓이곤 했습니다. 그러면 현관문도 열지 못했고 더구나 눈에 묻힌 차를 찾는 일은 더 큰일이었습니다. 요즘은 센서가 있어서 그나마 찾기가 쉬운데 당시엔 그런 것도 없으니 기껏 눈을 파헤치고 나면 남의 차라서 어이없어 웃는 일도 있었습니다. 보스턴은 1년에 한두 차례 눈보라가 들이치면 온 도시가 집 안에 갇혀서 꼼짝을 못합니다. 학교도 휴강하고 교회도 예배를 못 드립니다.

그날 밤 저녁 무렵부터 눈보라가 치기 시작했습니다. 그런데 한밤에 문을 두드리는 소리가 들렸습니다. 그 시간에 그 날씨에 누가 왔을까 의아해하며 문을 열었더니 믿음 안에서 사귀던 형제가 서울에서 온 것입니다. 그런데 놀랍게도 그 형제가 손에 들고 온 것이 추어탕이었습니다. 서울의 추어탕 맛집을 찾아 10인분어치의 추어탕을 사서 냉동을 한 채 보스턴까지 갖고 온 것입니다. 아내가 좋아하는 케이크와 빵도 잔뜩 사왔습니다.

형제는 출장 차 뉴욕에 왔는데, 서울에서 기도하던 중에 갑자기 내 생각이 났다고 했습니다. 뭘 좀 사다 주어야겠다 싶었는데 함께 추어탕을 먹은 기억이 나서 가져왔다는 것입니다. 더구나 궂은 날씨 탓에 뉴욕에서 보스턴까지 오는 비행기가 결항되어 네다섯 시간을 직접 운전해서 왔다고 했습니다. 당시는 내비게이션도 없었으니 깜깜한 밤길을 오느라 고생이 많았습니다. 나는 그때 정말 엄청난 충격에 휩싸였습니다. 어떻게 기도하지도 않은 나의 간구를 들어 주신단 말입니까!

형제는 다음날부터 시작되는 일정을 위해 그 밤에 눈보라를 뚫고 다시 뉴욕으로 돌아갔습니다. 단지 나에게 추어탕을 전해 주고 싶다는 마음 하나로 뉴욕에서 보스턴까지 왕복 10시간 가까운 장시간의 운전을 해서, 그것도 눈보라를 뚫고 전달하고 간 것입니다.

이것이 은혜입니다. 나는 형제에게 아무것도 해준 게 없습니다. 우리는 단지 교회에서 만나 책을 읽고 서로 묵상을 나누고 이따금 함께 기도한 것밖에 없습니다. 아내와 나는 그 밤에 너무 감사하고 감동해서 통곡을 하며 울었습니다.

이렇듯 은혜는 뜻밖에 일어납니다. 은혜는 상상할 수도 없던, 생각지도 못한 일입니다. 형제가 그 긴 시간을 위험을 감수하고 달려온 것은 평소에는 도무지 생각지도 못한 일입니다. 더구나 그날 너무나 간절하게 먹고 싶던 추어탕을 싸들고 오다니요. 상상도 못한 일이었습니다. 그런데 하나님은 아무도 생각하지 못하고 상상하지 못하는 은혜를 베풀어 주셨습니다. 마치 보자기에 싸인 걸 열어서 "이게 은혜라는 거야" 하고 보여 주시는 것 같았습니다.

율법으로 살지 말고 은혜로 살라

십자가 사건은 추어탕 10인분과는 비교할 수 없는 더 큰 은혜의 사건입니다. 기대하지도 않았습니다. 있을 수도 없습니다. 우리는 그걸 받을 자격도 없습니다.

"우리가 아직 죄인 되었을 때에 그리스도께서 우리를 위하여 죽으심으로 하나님께서 우리에 대한 자기의 사랑을 확증하셨느니라" 롬 5:8

우리가 아직 죄인 되었을 때입니다. 우리가 의인이라면 어느 정도 이해할 수 있습니다. 그러나 심지어 자기가 죄인인 줄도 모르는 사람을 위해 십자가를 지신 것입니다. 왜 주님은 은혜의 사건을 만드신 겁니까?

"주의 성령이 내게 임하셨으니 이는 가난한 자에게 복음을 전하게 하시려고 내게 기름을 부으시고 나를 보내사 포로 된 자에게 자유 를, 눈 먼 자에게 다시 보게 함을 전파하며 눌린 자를 자유롭게 하고 주의 은혜의 해를 전파하게 하려 하심이라"눅 4:18-19

"인자가 온 것은 섬김을 받으려 함이 아니라 도리어 섬기려 하고 자 기 목숨을 많은 사람의 대속물로 주려 함이니라"마 20:28

'은혜의 해'란 50년마다 돌아오는 이스라엘의 독특한 제도를 말합 니다. 6일 일하고 7일째 하루 쉬듯이 6년 일하고 7년째 안식년을 갖습니 다. 그래서 6년째 되는 해에 하나님은 2년분의 소출을 허락하십니다. 그 러면 밭이나 논도 7년째에 쉽니다. 이것은 하나님이 노예적 삶을 살던 이스라엘 백성을 훈련하는 방법입니다. 광야에서도 매일같이 단 하루 분의 만나를 허락하셨습니다. 욕심내어 이틀분치 쟁여 놔도 다음날이면 썩어서 먹을 수가 없었습니다. 그러나 안식일 바로 전날에는 이틀분의 만나를 허락하셨습니다. 이렇게 매일 기적의 훈련을 하셨습니다. 이른 바 내 은혜가 네게 족하다는 은혜의 훈련이었습니다. "하루치 은혜면 너

170

는 하루를 살 수 있어! 네가 모아 봐야 그건 썩어! 은혜는 그렇게 날마다 오는 거야." 놀랍지 않습니까? 매일매일 구름기둥과 불기둥으로 인도하시고 반석에서 물이 나게 하시며 성막 중심의 삶, 은혜의 삶을 훈련시키셨습니다. 40년 동안 훈련시키신 것입니다. 그 훈련의 핵심이 다름 아니라 하나님의 은혜라는 사실입니다.

그런데 모세의 율법이 화근이 되었습니다. 모세를 통해서 주신 이 율법은 하나님과 인간이 교제하는 방법이었습니다.

"우리가 교제하려면 이 십계명을 지켜야 해. 이것은 나하고 관계 맺는 방식이야."

신랑과 신부가 결혼 후 살면서 지켜야 할 규칙이고 약속입니다. 이 약속을 지켜야 바람이 나지 않고 사랑을 지킬 수 있습니다. 십계명을 안 지키면 바람이 나고 사랑이 깨집니다. 십계명을 안 지키는 건 귀신이 들어오는 개구멍을 열어 놓는 것과 같습니다. 십계명을 안 지키면 사탄의 덫에 걸릴 수밖에 없습니다. 십계명만 잘 지키면 사탄이 틈탈 수가 없습니다.

그런데 종교 지도자들이 무려 613가지 율법 조항을 만들어 이 십계명을 지키게 했습니다. 그러고는 율법 준수 경연 대회를 열어서 성적표를 만들고 상을 주기 시작하고, 옳고 그름을 판단하고, 정죄하기 시작했습니다. 나중에는 이 율법으로 모든 백성에게 올가미를 씌워 숨 막히게 했습니다. 하나님이 은혜로 주신 십계명을 백성을 정죄하고 괴롭히는 데 사용한 것입니다. 하나님은 이 계명을 지키면 사탄이 틈타지 않는다고, 그들의 밥이 되지 않는다고 사랑으로 십계명을 주셨습니다. 그런데 제사장과 서기관, 바리새인들은 오히려 이 계명으로 사탄이 틈타게 하고 사탄의 밥이 되게 하였습니다. 그래서 하나님은 이 계명을 완성시키러 예수님을 보내셨습니다.

예수님은 "너희들이 율법을 가지고 이 장난을 하고 있으니 내가 가만두지 않을 거야" 하셨습니다. 그래서 예수님은 하나님과 인간 사이에서 율법을 가지고 장난치는 모든 세력을 딱 한마디로 '도적'이라고 하셨습니다. 그들이 누구입니까? 자칫하면 스스로 가장 좋은 신앙을 지녔다고 착각하는 목사요 장로요 권사요 집사입니다. 옳고 그름을 판단하는 것을 업으로 삼는 사람들입니다. 교회 안의 우리는 의인이요 교회 밖의 사람들은 모두 악인이라고 말한다면 우리가 도적입니다.

예수님이 이 땅에 오셔서 교회 밖의 사람들, 당시의 죄인들더러 죄인이라고 부르신 적이 없습니다. 심지어 간음하다 현장에서 잡힌 여인에게조차 죄인이라고 욕하거나 비난하시지 않았습니다. 사람들은 그 여인을 돌로 쳐서 죽이겠다고 덤볐는데, 예수님은 죄 없는 자만 저 여인에게 돌을 던지라고 하셨습니다. 그러자 아무도 그 여인에게 돌을 던지지 못했습니다. 모두 돌을 내려놓고 돌아갔습니다. 예수님은 여인과 단둘이 남겨졌을 때에도 죄를 묻지 않으셨습니다. "너 왜 그랬니?"라고 묻지 않으시고 다만 "다시는 죄를 범하지 말라"고 하셨습니다. 돌에 맞아 죽어도 마땅한 간음을 저지른 여인을 예수님은 율법으로 살리지 않고 은혜로 살리셨습니다.

172

예수님은 이 은혜를 선포하러 이 땅에 오신 것입니다.

50년 주기로 돌아오는 '은혜의 해'는 빚이 져서 종이 된 사람들이 풀려나는 해입니다. 더구나 은혜의 해가 돌아오기 2년 전, 그러니까 48년에 3년치 소득을 종들에게 줍니다. 7년마다 돌아오는 안식년이 49년째에 있기 때문에 49년째에도 쉬고 은혜의 해인 50년째에도 쉽니다. 그렇기 때문에 48년째에 3년치 소득을 분배해 주는 것입니다.

예수님은 이 땅에 오셔서 이 은혜의 해를 선포하셨습니다. 지금부터 영원히 은혜의 해라는 것입니다. 이렇듯 예수님으로부터 은혜가 새롭게 정의되고 시작되었습니다. 그래서 예수님 이후를 '은혜의 시대'period of grace 라고 부릅니다. 그러므로 이 은혜가 날마다 물밀듯이 밀려와야 합니다. 십자가의 은혜가 날마다 새로워져야 합니다.

십자가 사건은 은혜의 사건입니다. 십자가에 달려 있어야 할 사람이 바로 나라는 걸 볼 수 있어야 합니다. 그 자리에 내가 못 박혀야 하는데 예수님이 대신 못 박히셨다는 걸 깨닫는 게 바로 죄와 은혜를 동시에 깨닫는 것입니다. 예수님이 대신 못 박혀 죽으셨기 때문에 내가 대신 자유해졌음을 깊이 체험해야 합니다. 예수님은 부활 사건을 통해 다시 한번 죽음으로부터 우리를 자유케 하시는 은혜의 사역을 마무리하십니다.

예수님의 공생애는 놀랍게도 이 은혜의 해를 선포한 뒤에 시작되었습니다.

종교 생활을 하는가, 신앙생활을 하는가?

예수님의 공생애 사역을 크게 가르치고^{teaching}, 복음을 전하고 ^{preaching}, 병을 고치는^{healing} 사역으로 정리하는데, 예수님은 이 사역들을 통해 은혜의 사역이 무엇인지, 은혜의 삶이 무엇인지를 몸소 보여 주셨습니다. 그리고 예수님은 놀랍게도 성전 중심의 활동에서 벗어나셨습니다. 당연히 랍비라면, 제사장이라면, 레위인이라면 성전 중심으로 활동해야 하는데 예수님은 그저 헤롯 성전을 보며 눈물을 흘리셨습니다.

> "너희가 이 모든 것을 보지 못하느냐 내가 진실로 너희에게 이르노 니 돌 하나도 돌 위에 남지 않고 다 무너뜨려지리라"^{마 24:2}

예수님은 은혜의 가장 중요한 모티프^{motif} 중 하나를 성전에서 벗어나는 것으로 보셨습니다. 지금까지 모든 종교적 시스템이 성전을 중심으로 이뤄졌으나 예수님은 이 성전 중심의 신앙에서 우리를 자유롭게 하셨습니다. 이 놀라운 성전으로부터의 자유를 사마리아 여인과 대화하면서 분명히 하셨습니다.

사마리아 여인이 "예루살렘 성전에 가서 예배드려야 진짜 예배입니까, 아니면 이곳 사마리아 사람들이 산당에서 예배드리는 것이 진짜 예배입니까?"라고 묻자 예수님은 "여자여 내 말을 믿으라 이 산에서도 말고 예루살렘에서도 말고 너희가 아버지께 예배할 때가 이르리라"^요

^{4:21}고 대답하셨습니다. 여기도 아니고 저기도 아니고 다만 성령 안에서, 진리 안에서 드리는 예배가 참 예배라고 말씀하신 것입니다. 진정한 예배란, 내가 성령 안에 머물러 있는 것, 내가 진리 안에 머물러 있는 것이라는 겁니다. 예수님은 형식화되고 의식화된 성전 예배에서 우리를 자유케 하셨습니다.

유대인들은 늘 성전 중심이었습니다. 모든 삶이 성전 중심으로 돌아갔습니다. 성전 안에서 드려지는 예배만 거룩하다고 생각했기 때문입니다. 그러나 오늘 우리는 이 '성전 중심'에 갇힐 필요가 없습니다. 예수님이 그것으로부터 자유롭게 해주셨기 때문입니다. 예수님은 예배란 형식과 의식을 따라 드리는 종교 행위가 아니라 삶 전체가 예배가 되는 것이 중요하다고 가르치셨습니다.

예수님이 공생애 동안에 하신 일은 모두 우리를 자유케 한 은혜의 사역이었습니다. 우리는 예수님을 통해서 은혜의 핵심, 은혜의 본질, 크리스천이 선물로 받게 되는 은혜에 대해서 알게 됩니다.

예수님은 율법과 관련해 종교 지도자들이 자꾸 시비를 걸 때 자신은 율법을 없애러 온 것이 아니라 완성하러 왔노라고 말씀하셨습니다. 안식일을 왜 범하느냐니까 "나는 안식일의 주인이다" 하시며 일부러 안식일에 도전하셨습니다. 안식일에 밀을 잘라 먹은 제자들을 나무라자 다윗이 배가 고파 성전 안에 차려 놓았던 진설병을 먹은 것도 모르느냐고 하셨습니다. 왜 당신 제자들이 손도 안 씻고 밥을 먹느냐니까 입으로 들어간 것은 배설해 버리면 그만이나 도리어 입에서 나오는 것들이 사람을 더럽게 한다고 반박하셨습니다. 이렇듯 예수님은 번번이 종교 지도자들과 부딪치며 논쟁을 벌이셨습니다.

그들과 화평하게 지내면 안 되는 것인가요? 하지 말라면 하지 말고 평일에 열심히 사역하고 안식일에 쉬면 안 되나요? 그런데 예수님은 번번이 반박하시며 그들의 말을 무시해서 그들로 하여금 예수님을 미워하게 만듭니다.

그런 예수님이 이상하게도 세리하고는 논쟁하지 않습니다. 관세 내라면 내고 인두세 내라면 군말 없이 냅니다. 로마인들의 세금조차 존중한 것입니다. 예수님은 정치권력과도 부딪치지 않았습니다. 예수님은 오로지 종교 지도자들과 사사건건 논쟁하고 부딪쳤습니다. 왜 그렇습니까?

종교 세력 전체가 도적이요 강도였기 때문입니다. 말할 수 없이 부패했으면서 백성을 율법으로 굴레 씌워 괴롭혔습니다. 제사장들은 성전 안에 환전상을 불러들여 뒷돈을 챙겼습니다. 성전을 비즈니스의 현장으로 둔갑시킨 것입니다. 백성이 제사로 드릴 순결한 양을 가져오면 트집 잡아 불합격 판정을 내린 뒤 성전과 결탁된 상인들이 파는 양으로 바꾸게 해서 돈을 챙겼습니다. 아버지의 집인 성전을 더럽힌 장본인들인 것입니다. 이렇게 해서 부를 축적하고 그 부로 로마의 환심을 사서 대를 이어 권력을 세습하는 말로 다할 수 없는 부패의 온상이었습니다.

예수님은 이렇게 성전 중심에서 벗어나지 못하는 잃어버린 양들을 데리고 나오시기 위해 이 땅에 오셨습니다. 그리고 '은혜의 해'를 선포하시고 양들을 묶인 노예 상태에서 자유인으로 풀어 주셨습니다.

그런데 이후 로마 가톨릭은 거대한 종교 시스템으로 자유인으로 회복된 사람들을 다시 노예 상태로 묶어 두었습니다. 라틴어로 예배를 드려서 사람들이 도무지 못 알아듣게 했습니다. 사람들은 무슨 말인지도 모른 채 그저 앉아 있을 뿐이었습니다. 또 죄를 신부에게 고백하는 시스템을 만들어서 백성의 죄를 덜미로 잡았습니다. 얼마나 많은 정보가 거기에 수집되었는지 모릅니다. 국가 권력보다 더 강력한 종교적 권력 시스템을 만들어 놓은 것입니다. 그래서 국가가 망하고 정권이 바뀌어도 로마 교황청은 전혀 흔들림이 없었습니다.

거대한 종교 시스템을 만들어 놓고 그들은 어떻게 했습니까? 로마 교황은 곧 성경이었습니다. 교황의 칙령과 성경적 권위가 동일했다는 얘기입니다. 성당마다 마리아상을 세워 놓고 거기에 기도하게 했습니다. 물론 마리아는 정말 대단하고 훌륭한 여인입니다. 그러나 마리아 역시 예수님과 동격이 될 수 없는 한 사람의 죄인일 뿐입니다. 그런 마리아를 경배하고 숭배하는 것은 성경에 맞지 않습니다. 그들은 연옥을 만들어서 막대한 돈을 챙기기도 했습니다. 면죄부 사건의 배경이며 종교개혁의 결정적인 계기가 된 심각한 죄를 저지른 것입니다.

"Sola Scriptura, Sola Fide, Sola Gratia." 오직 성경으로, 오직 믿음으로, 오직 은혜로

마틴 루터가 에베소서 2장 8절 말씀을 근거로 구원관을 제시했습니다. 우리는 오직 은혜로만, 오직 그 은혜를 믿음으로만 구원을 받는다

는 의미입니다. 믿음을 통해서 은혜로 구원을 받는다는 것은 엄청난 은혜가 믿음이라는 파이프라인을 통해 흐르고 있기 때문에 그 사실을 의심하지 않고 내가 그냥 받아들였다는 뜻입니다.

따지고 보면 인간의 믿음은 대단한 것이 아닙니다. 그저 은혜의 통로일 뿐입니다. 우리는 내가 믿었기 때문에 구원을 받았다고 생각하는데 믿음은 하나님이 이미 수도관이나 전기선처럼 깔아 놓은 통로입니다. 내가 주도적으로 한 것은 아무것도 없습니다. 하나님이 깔아 놓은 수도관으로 은혜가 부어지는 것입니다. 하나님의 이 수도관 매설작업 과정이 언약입니다. 믿음의 긴 관들은 약속으로 이어집니다. 이 약속의 관 이음새가 틈이 없어야 은혜가 계속해서 흘러갑니다. 이 은혜가 믿음의 관을 통해 계속해서 흐르지 않으면 우리는 영원히 죄로부터 벗어날 길이 없습니다. 예수님이 우리의 죄 문제를 은혜로 해결해 주셨는데, 우리가 이 은혜를 믿음으로 받아들이는 것이 구원입니다. 그러므로 은혜도 언약도 구원도 영생도 다 일방적입니다. 우리가 할 수 있는 일이 없습니다. 마치 우리는 어항 속 금붕어와 같습니다. 금붕어가 어항 밖의 주인을 위해 할 수 있는 일이 단 한 가지도 없듯이 우리가 하나님을 위해 할 수 있는 일이 없습니다. 주어진 모든 것을 그냥 누리는 것이 믿음입니다.

우리가 은혜를 믿음으로 받아들였기 때문에 율법을 뛰어넘는 은혜의 삶을 살 수 있습니다. 이때부터 은혜를 끊임없이 공급받으면서 이웃에게 은혜를 베풀기 시작합니다. 그러므로 은혜를 계속해서 받지 않으면 절대로 은혜로운 삶을 살 수가 없습니다. 끊임없이 은혜를 받지 않는 사람은 은혜로운 신앙이 아니라 율법적인 종교 행위로 되돌아가게 됩니다. 종교 행위란 무엇입니까? 오늘은 1시간 채워서 기도해야지, 이 달에는 작정헌금 얼마를 해야지, 올해는 열심히 봉사해야지 하며 이를 악물고 기도하고 헌금하고 봉사하고 말씀 보는 것이 종교 행위입니다. 거기에는 기쁨이 없습니다.

이런 종교 행위는 끝까지 가지 못합니다. 자녀가 대학에 떨어지고 내가 병에 걸리고 남편이 직장을 잃으면 못 버티고 나가떨어집니다. 율법으로 종교 생활을 했으니 받은 은혜가 없어서 고난이 오면 버틸 힘이 없는 것입니다.

하나님이 은혜를 쏟아 부어 주시려고 우리를 부르셨습니다. 그런데 이 은혜는 예수님의 십자가 사건을 가슴 깊이 받아들일 때 받을 수 있습니다. 그때서야 하나님이 주시는 은혜가 무엇인지 분명하게 알게 되기 때문입니다. 하나님은 우리에게 은혜를 선물로 주셔서 우리 몸을 성전이 되게 하십니다.

어메이징 그레이스 amazing grace

은혜가 오면 예배당에 들어서는 순간부터 눈물이 납니다. 죽어 마땅한 내가 걸어 다니는 것이 감사해서 눈물이 납니다. 하나님이 나를 받아 주셨다는 것, 내가 하나님을 '아빠'라고 부를 수 있다는 사실에 감격해서 눈물이 납니다.

나는 어렸을 때 부모님과 진해 군항제에 놀러 갔다가 길을 잃은 기억이 있습니다. 진해 군항제는 1950년대에 대한민국에서 유일한 벚꽃축제였습니다. 진달래 꽃잎으로 지진 지지미, 시원한 막걸리와 사이다를 섞어서 만든 막사이다라는 것을 맛볼 수 있던 곳이었죠. 한참 구경하다가 문득 부모님이 어디에도 보이지 않는다는 걸 깨닫고는 얼마나 울고불고 난리를 쳤는지 모릅니다. 2시간가량을 헤매고 다니다가 겨우 부모님을 만났는데 어찌나 감격스럽고 기쁘던지 지금도 잊을 수가 없습니다.

우리 영혼이 아버지를 잃고 헤매다가 하나님을 만난 순간 경험하는 벅찬 감격과 기쁨이 이런 것입니다. 그러니 예배당에 들어서는 순간부터 아빠를 찾은 감격 때문에 눈물이 나는 겁니다. 우리 영혼이 찾은 아빠는 나를 아무 조건 없이 품어 주십니다. 내가 어떤 잘못을 해도 용서를 비는 순간 새까맣게 잊어버리는 좋으신 아빠입니다. 주무시지도 않고 나를 지키시는 아빠입니다.

예수님은 그 아빠를 우리에게 찾아 주려고 이 땅에 오셨습니다. 우리 목에 걸린 율법의 목줄을 풀고 아빠에게 달려가게 하려고 이 땅에 오신 것입니다. 그런데 우리는 어쩌자고 풀린 목줄을 다시 칭칭 감고 있는 겁니까? 기도는 이렇게 해야 하고, 예배 순서는 이래야 하고, 대표기도는 누가 해야 하고, 집사가 장로보다 앞서면 안 되고, 목사도 담임목사가 있고 부목사가 있고…. 예수님이 담임목사이고 그 제자들이 부목사입니까? 베드로가 수석 부목사고 야고보가 차석 부목사입니까? 그런 게 어딨습니까?

은혜를 경험하면 인생에 지진이 일어납니다. 은혜를 경험한 사람들은 자신이 완전히 용납받았기 때문에 누구한테도 이래라 저래라 요구하지 않습니다. 수요예배 나와라, 새벽예배 나와라, 금요예배 나와라 요구하지 않습니다. 자녀가 대학을 가든 못 가든, 의사가 되든 백수가 되든 아무 상관이 없습니다. 살아 있는 것 자체가 감사한데 무슨 요구를 하고 불만이 있겠습니까? 은혜를 경험하면 사랑밖에는 할 수 있는 게 없습니다. 은혜는 아무 조건 없이 폭포수처럼 쏟아 붓는 것입니다. 'give and give'이지 'give and take'가 아닙니다.

내가 은혜를 경험하지 못했을 때는 아내더러 집에서 놀면서 아이를 감기에 걸리게 하냐고 큰소리 쳤습니다. 엄마가 감기 바이러스를 일부러 퍼뜨린 것도 아닌데 그런 몰상식한 소리를 해댄 겁니다. 내가 밖에 나가 이만큼 벌어 오니 당신은 집 안에서 살림 잘하고 애들 잘 건사하라고 당당히 요구한 겁니다. 이것이 'give and take' 관계입니다. 이게 거래 deal 입니다. 나는 심지어 내가 하나를 주면 두 개를 받아야 직성이 풀리는 사람이었습니다. 그렇게 살아야 성공한다고 믿었습니다.

그런 내가 하나님을 만난 후 거의 바보가 다 되었습니다. 받은 게 많아서 달라고 할 게 없는 겁니다. 섭섭한 것도 없어요. 누가 나를 욕해도 화도 안 나고 섭섭하지도 않습니다. 나를 향해 쏟아지는 비난을 압도할 만한 기쁨이 있기 때문입니다. 받은 게 많으니까 부족함이 없어서 짜

증도 나지 않습니다. 영원을 산다는 것을 믿기 때문에 오늘 죽으나 내일 죽으나 걱정이 없습니다. 이 은혜를 모르면, 이 은혜를 차고 넘치게 누리지 못하면, 사실 크리스천은 쇼하는 겁니다. 믿음도 없으면서 믿는 척하는 겁니다.

여러분은 어떻습니까? 혹시 그런 척하며 살지 않습니까?

은혜를 받을 줄도 모르고, 심지어 은혜받으면 갚아야 한다는 생각에 은혜받기를 두려워합니다. 예수님이 문을 두드리시며 "내가 들어가겠다. 문 좀 열어 줄래? 성령을 보내 주겠다. 성령이 문 두드리면 열어 줄래? 내가 네 안에 들어가서 같이 좀 살고 싶구나" 하는데도 못 듣거나 못 들은 척합니다. 믿음도 없으면서 믿는 체하고, 오늘 죽을까 내일 죽을까 두렵고, 늘 가진 것이 부족해 보여서 짜증이 납니다. 여러분의 상태가 어떤지 점검해 보기 바랍니다.

은혜의 클라이맥스는 성령세례입니다. 예수님은 우리에게 가장 좋은 선물을 주겠다 하셨습니다. 선물은 기프트^{gift}, 헬라어로는 카리스^{χάρις}입니다. 은사는 헬라어로 카리스마타^{χαρίσματα}입니다. 예수님이 주시고자 한 가장 좋은 선물은 은사입니다. 은사를 선물로 주겠다 하신 것입니다.

우리가 신앙의 여정을 떠나면서 날마다 기억해야 할 단어는 그레이스^{grace}입니다. 즉 은혜입니다. 나는 은혜를 묵상하다가 영어로 풀이해 보았습니다.

God Recharges Again from the Cross, under Cross Eternality.

182

"하나님이 십자가에서, 십자가로부터 주시고 또 주시고, 채워 주시고 또 채워 주시고 영원히 주신다"는 뜻입니다. 이 은혜를 경험하면 진짜 신앙인으로 살 수 있습니다.

단지 건물을 교회로 알고 다니면 안 됩니다. 우리 자신이 교회가 되었다는 걸 알아야 합니다. 그래서 예수님이 성전을 무너뜨리셨습니다. 예수님은 성전을 무너뜨리며 우리에게 이렇게 말씀하신 것입니다.

"성전 출입 그만해도 돼. 내가 너를 성전 되게 했으니까. 주일만 예배드리는 것 필요 없어. 진리와 성령 안에서 in spirit and in truth 너는 항상 예배드릴 수 있어. 네 자신이 예배자야. 네가 가는 곳마다, 네가 있는 곳마다 예배가 드려질 거야."

이 비밀을 알아야 합니다. 그렇지 않으면 교회라고 부르는 환상 속에서, 믿음이라고 부르는 허상 속에서 언제까지 목줄이 감긴 채 살아가게 될지 모릅니다.

주님이 이 땅에 오셔서 우리에게 주시고자 한 그 놀라운 선물, 은혜를 날마다 가슴에 새기면서 주님과 동행하기를 바랍니다. 날마다 은혜로운 찬양을 하든지, 십자가를 지고 좇든지 신앙 안에서 놀라운 선물을 누리기를 바랍니다. 우리 자신이 은혜를 누려야 삶에 기쁨이 넘치고, 그런 우리를 통해 믿지 않는 사람들이, 혹은 믿고 있다고 스스로에게 속고 있는 사람들이 주님을 만날 기회를 얻게 됩니다. 은혜가 없으면서 믿는다 하는 사람들이 예수님을 만나는 길을 방해합니다. 예배와 집회를 열심히 좇아다니고 헌금을 하고 봉사를 해도 기쁨이 없으니 오히려 더 큰 짐을 지고 가는 것처럼 보입니다. 누가 그런 사람을 보고 예수님을 만나고 싶겠습니까?

예수님은 은혜를 퍼부어 주고 나서 "너희는 서로 사랑하라. 너희가 서로 사랑하면 온 세상이 너희가 나의 제자인 줄 알리라" 하셨지 "열심히 일해라. 헌금 많이 해라. 큰 교회를 지어라. 그렇게 하면 온 세상이 너희가 나의 제자인 줄 알리라" 하지 않으셨습니다. 은혜를 받으면 그런 것이 전혀 중요하지 않습니다. 은혜를 모르는 사람들에게는 이런 것이 너무 중요하고 심지어 이게 전부나 마찬가지입니다. 은혜가 차고 넘치면 내가 살아 있다는 것, 내가 예수님을 안다는 것, 내가 영원히 그분과 함께한다는 것, 오직 존재하는 것만으로도 기쁩니다.

우리는 하나님의 자녀가 되었기 때문에 율법을 뛰어넘는 수준을 살 수 있습니다. 예수님은 너희가 원수를 미워하라고 배웠지만 원수를 사랑하라고 가르치셨습니다. 그런데 원수를 사랑하는 일은 내 힘으로 되는 게 아닙니다. 내 자식, 내 친척, 내 친구도 사랑하기가 이렇게 힘든데 어떻게 그것도 원수를 사랑할 수 있겠습니까? 하지만 은혜가 넘치면, 은혜가 오면, 은혜가 물밀듯이 벅차게 끓어오르면 원수도 사랑할 수 있습니다. 내 힘으로 하는 게 아니라서 가능한 것입니다. 그러므로 매일, 매 순간 은혜를 기억하십시오.

말씀을 읽어도 은혜로 읽어야 하고, 말씀을 들어도 은혜로 들어야 하며, 사람을 봐도 은혜의 눈길로 쳐다봐야 합니다. 하나님의 일이든 맡겨진 세상의 일이든 또 공부든 사업이든 무엇이건 은혜로 해야 합니다.

이 은혜가 가정에서, 교회에서, 직장에서 흘러넘쳐야 이 세상이 변화될 수 있습니다.

은혜는 어디서 옵니까? 십자가입니다. 십자가가 은혜의 수원지입니다. 십자가에서 흘러나온 은혜는 믿음이라는 수도관과 수도꼭지를 통해 들어와서 나를 차고 넘치게 하고 다시 세상으로 흘러갑니다. 그런데 내 수도꼭지가 잠겨 있으면 은혜가 들어올 수도 없고 세상으로 흘러갈 수도 없습니다. 그러므로 수도꼭지를 잠그지 말고 열어 놓으십시오. 은혜의 물은 마르지 않는 생수이므로 조금도 아까워할 게 없습니다. 은혜는 너무나 값진 것이지만 값을 요구하지 않습니다. 이 은혜가 넘치는 사람은 매력적입니다. 사람들이 이 은혜의 사람 곁에 모여 듭니다. 자꾸 보고 싶어 합니다. 얼굴이 예쁘지 않더라도 매력적인 은혜의 사람이 되십시오. 당신을 통해 은혜가 흘러가게 하십시오. 당신 주위로 하나님 나라가 이루어질 것입니다.

WHY
JESUS

8강

SUFFERING

고난

고난이 해석되면 더 이상 두렵지 않다

SUFFERING

이 세상에서 고통 없는 인생은 없을 것입니다. 지금까지 단 한 번도 슬퍼 본 적이 없다는 인생도 없을 것입니다. 인생이 왜 고통스러운가, 왜 고통을 겪어야 하는가에 대해 근원적인 질문을 하다 보면 왜 악이 존재하는가, 왜 인간이 존재하는가에 도달하게 됩니다. 불교에서는 인생의 본질이 고통이라고 설명합니다. 고해苦海, 즉 고통의 바다 속에서 살아간다고 합니다. 과연 그럴까요?

지난해 나는 새벽예배를 드리고 나서 한 시간 남짓 운동을 했습니다. 매주 두세 번씩 했습니다. 혼자서는 꾸준히 할 자신이 없어서 트레이너의 지도를 받아 보기로 했습니다. 조금 미안한 말이지만 트레이너는 그냥 내 곁에서 하나, 둘, 셋 구령을 붙이거나 몇 가지 동작을 가르쳐 줄 뿐입니다. 처음에는 돈이 아깝다는 생각도 들고, 성가시기도 했습니다.

젊은 청년이 20번 하라면 20번 하고, 15번 하라면 15번 하는데 어찌나 힘이 드는지 고통스러우면서도 한편으론 내 자신이 한심하게 느껴졌습니다. 하루에 고작 30~40분 운동하면서 얼마나 고통스러운지 모릅니다. 하지만 운동하기 전에는 30분도 강단에 서서 설교하기가 힘들었는데 운동을 한 이후에는 훨씬 수월해졌습니다.

이처럼 고통을 상쇄하고도 남을 만한 유익이 있음을 체험하거나 믿거나 실제로 열매를 거두었거나 하면 아무리 고통스러워도 참고 하게 됩니다. 내가 아무리 고통스럽고 괴로워도 건강에 아무 유익이 없다면 굳이 돈을 지불하면서까지 운동할 이유가 없지 않습니까? 사실 나는 너무 힘들어서 그만두고 싶은 마음이 굴뚝같았습니다. 그런데도 내 발로 걸어가서 내 돈을 내고 내 시간까지 내어 주며 운동하는 것은 그만큼 유익이 있기 때문입니다. 조금씩 체력이 달라지고 몸이 가벼워지는 걸 경험하니까, 그 고통은 감수할 가치가 있다는 것을 아니까 기꺼이 그 고통 속으로 뛰어드는 것입니다.

'고난받는 하나님'은 우리의 상식으로는 이해하기 힘듭니다. 전지전능한 하나님이 왜 굳이 고난을 받는단 말입니까? 무소부재한 하나님이 왜 고통 속으로 뛰어든단 말입니까? 영화 〈패션 오브 크라이스트〉 Passion of Christ를 보면 예수님이 뼛조각이나 쇳조각이 붙은 채찍으로 수없이 맞는 장면이 나옵니다. 맨살에 그 채찍을 맞으면 바로 살점이 떨어져 나갑니다. 그 고통을 어떻게 설명할 수 있겠습니까. 피가 철철 흐릅니다. 실신할 정도로 채찍에 맞고 이제 젊은 청년도 메기 힘든 십자가를 지고 골고다 언덕을 사력을 다해 올라갑니다. 비록 영화라도 이 장면을 보노라면 눈을 돌리게 됩니다. 성경 속에서 수없이 읽은 이야기지만 또다시 정말로 예수님은 왜 고난받는 하나님이 되어야 했을까 싶어 고통스럽습니다.

예수님은 그런 고통을 자초하셨습니다. 내가 일주일에 두세 번 가서 땀을 흘리며 고통스러워하는 것과는 그야말로 비교할 수 없는 고통이었습니다. 그 누구도 이해할 수 없는 고통이었습니다. 예수님 당시에는 가장 어리석고 저주받은 고통이었습니다. 이 고통이 우리 모두에게 유익이 됨을 알기까지는 오랜 시간이 필요했습니다.

예수님의 십자가 사건은 당시에는 가장 끔찍한 저주의 사건이었지만 지난 2천 년 동안 우리를 돌이켜 구원의 길로 인도함으로써 그 고통이 곧 유익임을 알게 해준 사건이 되었습니다. 이 사건만큼 하나님의 고통이 인간의 유익임을 분명하게 가르쳐 주는 사건이 없습니다.

붓다Buddha는 왕족 출신으로 어느 날 너무 허무해서 집을 나가 버렸습니다. 풍족한 환경에서 부족함 없이 살다 보니 인생이 너무 허무해진 것입니다. 출가한 후 그는 해탈의 경지에 이르게 됩니다. 이에 반해 예수님은 천하디천한 마구간에서 태어났습니다. 아무리 가난해도 아이를 동물이 기거하는 마구간에서 그것도 여물통에서 태어나게 하지는 않습니다. 예수님은 이렇게 가장 비천한 모습으로 이 세상에 오셨습니다. 그리고 그 마지막도 참으로 비참했습니다. 저주의 상징인 십자가에 못이 박혀 작열하는 중동의 태양 아래서 벌거벗긴 채 몸속에 있는 마지막 한 방울의 물과 피를 다 쏟고 돌아가셨습니다.

가장 비천한 데서 태어나 가장 비참한 죽음을 맞이한 그분이 어째서 우리 인생의 답입니까? 어째서 그분이 세상의 빛이요 등불입니까? 심지어 그분이 진리라고 합니다. 말이 됩니까?

그런데 그분이 첫째는 하나님이요, 둘째는 우리 인생의 본질적인 문제를 해결해 주었으며, 셋째는 죽음 이후의 우리 거처를 마련해 놓았습니다. 그를 믿으면 구원의 길이 열립니다. 어째서 그렇습니까? 그 이유를 알지 못하면 우리는 바울의 말처럼 헛된 말에 속아 넘어간 불쌍한 사람들입니다.

고난이 선물이다

한번은 최경주 선수, 이영표 선수와 셋이서 얘기할 기회가 있었습니다. 골프선수인 최경주 선수는 골프에는 심판이 없어서 좋다고 했습니다. 스스로 정직하면 되기 때문에 심판의 편파적인 판정으로 인한 시비가 없다는 것입니다. 그러자 이영표 선수는 심판이 늘 공정하기만 한 게 아니어서 사실 억울할 때가 많다고 했습니다. 하지만 이영표 선수는 뜻밖의 말을 했습니다. 시합을 하다 보면 부정한 심판도 있고 불공정한 심판도 있기 때문에 그것을 게임의 일부라고 생각해야 한다고 했습니다. 그렇지 않고 불공정한 심판의 판정에 마음이 묶이면 금세 마음의 안정을 잃어버리고 다음부터 경기에 몰입하지 못하게 되고 그러면 전체 시합을 망치게 된다는 것입니다. 나는 그의 말을 듣는 순간 속이 시원해지는 명쾌함을 느꼈습니다. 이제 겨우 30대의 젊은 친구지만 이영표 선수는 이미 인생을 프로답게 살고 있었습니다. 최경주 선수도 만날 때마다 배울 점이 얼마나 많은지 모릅니다. 그들은 한창 혈기가 뜨거운 나이에 인생을 그 어떤 성숙한 사람들보다 지혜롭게 살고 있었습니다.

인생을 살다 보면 누구나 고난을 만나고 고통을 겪습니다. 그런데 고난이든 고통이든 아픔이든 그것이 인생의 일부라고 받아들이면 그것 때문에 화가 나거나 억울하거나 상처가 되지 않습니다. 고난의 의미가 해석되면 더 이상 고난이 두렵거나 피하고 싶지 않게 됩니다. 살다 보면 겪게 되는 고난, 위기, 아픔을 인생의 일부라고 생각하고 그 고비를 넘겨야 다음 순간을 충실하게 살 수 있습니다. 용납하지 못하는 순간 거기에 발이 묶이게 됩니다.

나는 마음 같아선 더 많이 강단에 서고 싶습니다. 더 많은 시간을 할애해서 말씀을 나누고 싶습니다. 하나님의 말씀을 전하는 일은 그 어느 것보다 가치 있기 때문입니다. 당장에는 운동하는 시간을 포기하고 말씀을 더 많이 묵상하고 강단에 더 많이 서는 것이 유익해 보이지만, 멀리 보면 시간을 쪼개서 몸을 관리하는 것이 더 유익합니다. 나는 운동하는 것이 고통스러워서 피하고 싶지만, 멀리 보면 이 고통이 유익한 일입니다. 이 고통은 내 인생에서 반드시 필요한 일인 것입니다. 잠도 마찬가지 아닙니까. 시간이 아깝다고 잠을 너무 줄이면 나중에 더 많이 졸게 됩니다. 시간이 아무리 아까워도 때가 되면 잠을 자야 하고 그 잠이 우리를 살립니다.

　박태환 선수가 전지훈련을 가면 하루 중 7시간을 물속에서 보낸다고 합니다. 나머지 시간에도 웨이트트레이닝weight training 같은 운동을 해야 합니다. 그렇다고 밥을 마음껏 먹을 수 있는 것도 아닙니다. 식단에 따라 일정량만 먹어야 합니다. 웬만한 사람이 견딜 수 있는 생활이 아닙니다.

　그런데 왜 그렇게 합니까? 수영이 자기에게 가장 가치 있는 일이기 때문에 고통을 감내하며 온 종일 시간을 투자하는 것입니다. 그는 10대 때부터 그런 생활을 했습니다. 박태환 선수에게 이 고통은 필요하고도 유익합니다. 여기서 우리는 고통에 대한 관점이 달라질 수밖에 없습니다.

　사람들은 왜 고난을 피하고자 합니까? 그 이유는 하나, 고통스럽기 때문입니다. 고난이 고통스럽지 않다면 굳이 왜 피하겠습니까? 고난과 고통은 붙어 있습니다. 고난이라는 큰 과실 속에 있는 씨앗들은 전부 고통입니다. 사람들은 이 고통이 싫은 겁니다.

　나는 지금까지 두 번이나 입이 돌아가서 고생을 했습니다. 한번은 우즈베키스탄에서 맹인의 눈을 뜨게 해줄 만큼 명의인 선교사님한테 치료를 받았는데 어찌나 아픈지 눈물이 저절로 나왔습니다. 얼굴에 침을 하나도 아니고 20개나 놓았으니 아파서 기절할 지경이었습니다. 하지만 나는 비명 한 번 지르지 않고 꾹 참았습니다. 어떻게든 돌아간 입을 고쳐야 했으니까요. 오지 말래도 기어코 찾아가서 침을 맞았을 것입니다. 한 달 내내 맞으니 나중에는 침만 봐도 반사적으로 고통스러웠습니다. 이 고통이 유익이 될 줄 믿기 때문에 기꺼이 고통에 동참했습니다. 입이 두 번째로 돌아갔을 때는 더 쉬웠을까요? 한 달간 침을 맞은 경험이 있는데도 더 두려웠습니다. 오히려 참기 어려운 고통에 대한 기억 때문에 더 끔찍했습니다. 그래도 갔습니다. 입을 정상으로 돌이켜야 했으니까요. 더 좋아지는 것도 아니고 고작 원래 상태로 돌이키기 위한 것이지만 그 고통을 감수한 것입니다.

폴 브랜트는 인도 선교사였던 아버지를 선교지에서 잃었습니다. 아버지가 억울하게 죽임을 당했으니 어머니는 당연히 철수할 줄 알았는데, 어머니는 남아서 인도 선교를 계속했습니다. 그리고 아들인 폴 브랜트도 인도에서 나환자를 돌보는 의료선교사가 되었습니다.

폴 브랜트는 속으로 늘 나병이 전염될까 두려웠다고 고백했습니다. 그러던 어느 날 사역을 마치고 집에 돌아왔는데, 아내가 "여보, 신발은 왜 신고 들어와요?" 했습니다. 순간 그는 '드디어 내게 나병이 왔구나' 싶어 급히 방으로 들어가 문을 잠그고 바늘로 발을 찔러 보았습니다. 나병에 걸리면 감각을 잃기 때문입니다. 걸어가다 어디를 부딪쳐도 고통이 없고 손톱 밑에 가시가 박혀도 고통을 느끼지 못합니다. 살갗이 찢어져도, 코가 떨어져 나가도 통증을 느끼지 못합니다. 그런데 그의 발이 아무런 통증을 못 느꼈습니다. 그 순간 무너져서 통곡을 하며 그는 기도하기 시작했습니다.

"하나님, 발가락이 아무런 통증을 느낄 수 없습니다. 제발 고통을 돌려주세요."

고통을 느낄 수 있는 감각을 회복시켜 달라고 밤을 새워 기도한 것입니다. 다행히 일시적인 마비 현상으로 나병에 걸린 것은 아니었습니다. 그는 다시 감사기도를 드렸습니다. 어떤 기도일까요? "하나님! 고통이라는 감각을 다시 돌려주셔서 감사합니다."

고통에는 이유가 있습니다. 진통제를 먹으면 일시적으로 통증이 가라앉지만 통증의 원인을 치료하지는 못합니다. 하나님은 우리에게 고통을 선물로 주셨습니다. 이유가 뭡니까? 생명을 지키기 위해서입니다. 생명이 있는 모든 것들은 고통이 있습니다. 따라서 생명과 고통은 함께 잉태됩니다. 생명에서 고통을 빼 버리면 그것은 곧 죽음입니다. 시체에다 침을 놓은들 아픔을 느끼겠습니까? 시체를 태운들 뜨겁겠습니까? 생명이 있으므로 고통을 느끼는 것입니다.

한번은 우리 아이 얼굴이 벌게져 있었습니다. 차돌을 구워서 뜨거운지 안 뜨거운지 얼굴에 대보다가 그렇게 됐다는 겁니다. 만일 고통을 느끼지 못했다면 구운 차돌을 얼굴에 계속 대고 있었을 것입니다. 이렇듯 고통은 어리석은 행동을 반복하지 않게 하는 하나님의 선물입니다.

생명이 선물이듯이 고통도 선물입니다. 고통은 생명이 생명 되게 합니다.

예수는 나 대신 고난을 당하셨다

고통이 인생의 영역으로 확장된 것을 고난이라 할 수 있습니다. 생명에 고통이 필요하다면 인생에는 고난이 필요합니다. 모든 인생은 고난을 겪습니다. 우리는 고난을 악이라고 생각하지만 고난은 악도 선도 아닙니다. 고난은 생명을 위해서 반드시 필요할 뿐입니다. 고통 없이 아이를 낳을 수 없고 산고 없이 출생할 수 없듯이, 우리가 거듭나기 위해선 고통을 치러야 합니다. 우리가 그리스도 안에서 새 생명을 얻으려면 고난을 감수하는 게 마땅합니다. 그런데 우리는 구원을 얻기 위해 아무런 고통도 치른 적이 없습니다. 우리 대신 예수님이 십자가에서 고난을 겪으셨습니다. 우리의 거듭남을 위해 예수님이 고난 가운데로 뛰어들어 스스로 고통을 짊어지신 것입니다. 이것이야말로 인간의 거듭남을 위한 하나님의 진통입니다. 예수님은 이것을 위해 이 땅에 오셨습니다. 이 땅이라는 고난으로 뛰어들어 우리 대신 고난을 당함으로 우리에게 새 생명을 주신 것입니다.

이것을 받아들이는 것이 믿음입니다.

그런데 믿음을 가졌지만 인생은 여전히 고통스럽습니다. 왜 그렇습니까?

첫째는 내 잘못으로 인한 고난이 있습니다. 내가 잘못 판단해서 재산을 모두 잃어버리는 고난이 있을 수 있습니다. 물론 하나님은 이 고난조차 사용하십니다. 그러나 이 고통을 제공한 원인이 하나님은 아닙니다. 그러므로 나의 잘못으로 생긴 고난으로 인해 하나님을 원망할 수 없습니다.

야곱의 딸 디나가 돌아다니다가 세겜 추장의 아들 하몰에게 강간을 당합니다. 이로 인해 오빠들이 화가 나서 세겜을 쑥대밭으로 만들지요. 이것은 하나님이 주신 고난이 아닙니다. 낯선 땅에서 함부로 돌아다닌 디나의 잘못이며, 혈기를 아무렇게나 사용한 하몰의 잘못이고, 오만해서 용서할 줄 모르는 야곱 아들들의 잘못입니다. 물론 이런 고난도 하나님은 사용하십니다.

한편, 하나님이 주시는 고난이 있습니다. 하나님은 아브라함의 믿음을 시험하기 위해 어렵게 얻은 아들 이삭을 바치라고 요구하셨습니다. 아브라함으로서는 정말 고통스런 요구였습니다. 그러나 이 고통에는 목적이 있습니다. 이유가 있습니다. 이삭은 나이 백 세가 되어서 하나님이 아브라함에게 약속의 선물로 주신 아들입니다. 그런데 그 아들을 도로 내놓으라니 이해가 되겠습니까. 그러나 도대체 이해할 수 없는 이 요구는 선물을 주신 하나님보다 선물을 더 사랑하게 된 아브라함의 믿음을 다음 단계로 이끌어 가는 시험입니다. 믿음의 여행이란 하나님을 전적으로 신뢰하고 가는 길입니다. 좋은 일이건 궂은 일이건 하나님의 뜻 안에 있다는 것을 신뢰하는 것이 믿음의 핵심입니다. 벌어진 사건을 믿는 것이 아니라 그 사건 배후에 있는 하나님이 좋으신 분이라는 전 인격적 신뢰가 믿음의 기초입니다.

그러므로 인생에서 만나는 고난 앞에서 우리는 이것이 누구로부터 온 고난인지, 이유는 무엇인지 신중하게 묻고 해석해야 합니다.

'이 고난은 누구로부터 온 고난인가? 왜 왔는가? 이 고난을 어떻게 겪어 낼 것인가?'

그런데 무엇보다 고난을 받아들이는 것이 중요합니다. 이영표 선수가 편파적인 판정을 일삼는 심판을 시합의 일부로 받아들였듯이 고난을 우리 인생의 일부로 받아들여야 합니다. 이미 고난이 와 있는 걸 어떻게 하겠습니까? 거부하고 난리를 칠 게 아니라 일단 수용하는 것입니다.

부부가 사랑해서 아기를 낳았습니다. 아기를 키우는 일은 행복하기도 하지만 한편으로 고통스러운 일입니다. 자라서 머리가 굵어지면 여러 가지 사고도 일으킵니다. 자녀는 어떤 모양으로든 부모에게 고통을 안겨 줍니다. 그렇다고 부모가 자녀를 버립니까? 부모는 허구한 날 속을 썩이는 자녀라도 내 자녀로 받아들이고 함께 고통을 이겨 나갑니다.

열 달 동안 뱃속에 품은 아이가 태어나서 보니 다운증후군을 앓고 있습니다. 그렇다고 부모가 자녀를 버립니까? 그렇더라도 내 아이로 받아들입니다. 부모니까 그럴 수 있습니다. 이것이 하나님이 우리에게 인간이 생각할 수 없는 방법으로 은혜를 주시는 놀라운 섭리입니다.

나는 고난을 받아들일 수 없는 사람들을 위해서 예수님이 고통을 겪으셨다고 믿습니다. 왜 예수님이 답입니까? 왜 예수님이 진리입니까?

결론부터 말하면, 예수님보다 더 고난을 겪은 사람이 이 세상에 없기 때문입니다. 예수님이 겪은 고난을 봐야 내 고난이 위로가 되기 때문입니다. 내가 왜 석가모니나 마호메트나 공자와 같은 종교 창시자에 끌리지 않고 예수님께 끌렸는지 아십니까? 예수님이 나보다 더 많은 고난을 겪었으니까, 그분은 고난을 이해하니까, 그분은 고난을 해석해 주시기 때문입니다. 그분만이 나 대신 고난을 겪었다고 주장하시고, 나는 그 주장에 동의하니까요. 왜 예수입니까? 고난받는 하나님이시기 때문입니다.

신이 나 대신 고난받는다는 말은 어떤 종교에도 없습니다. 다른 신은 다 고고하고 초월적인 존재입니다. 인간의 고통과 상관이 없습니다. 그들에게 다가가려면 우리가 뭔가를 해야 합니다. 신 때문에 고통을 겪어야 신용credit 이 쌓이는 겁니다. 모든 종교에서는 신에게 다가가기 위해 뭔가를 지불해야 하기 때문에 또 다른 고통이 가중되었습니다. 그 종교들은 모두 거래 시스템deal system 으로 만들어 놓았습니다. 주고받는 형태give and take form 에서 못 벗어나는 거예요. 그런데 예수님은 그렇지 않습니다. 십자가에서 다 이루셨습니다. 내 죄 값을 지불했고, 나 대신 고난을 짊어지셨습니다. 예수님의 선포와 선언이 우리에게 클릭되어야 고난에 대한 모든 의문이 풀리기 시작합니다.

고난 속에 하나님의 섭리가 있다

나는 예수님을 믿고 나서 잘된 게 하나도 없는 사람입니다. 갖고 있던 내 재산뿐 아니라 장모님의 돈까지 다 잃고 말았습니다. 섣불리 주식에 손을 댔다가 그렇게 되었습니다.

　나는 예수 믿기 전에 월급 외의 수입이 꽤 되었습니다. 하지만 아내한테는 월급만 주었습니다. 밖에서 생긴 돈이 집으로 들어가면 집까지 타락하니 나만 타락하자, 뭐 이런 생각이었습니다. 어이없는 조언이지만 후배 기자들한테도 돈이 생기면 3분의 1은 취재원들을 관리하는 데 쓰고 또 다른 3분의 1은 회사 후배들을 위해 쓰고 나머지는 너 자신과 친구들을 위해 사용하라고 조언하곤 했습니다.

　그러나 예수 믿고 나자 더 이상 촌지를 받을 수 없었습니다. 촌지를 받지 않으니까 내 마음은 편한데 용돈이 쪼들리기 시작했습니다. 그동안 월급은 아내에게 다 맡겼고 내 용돈은 촌지로 해결한 터라 힘들어졌습니다. 그렇다고 이제 와서 아내에게 용돈을 달라자니 구차해서 눈을 돌린 것이 주식이었습니다. 회사 후배가 알려 준 정보를 갖고 처음으로 주식을 사고 팔았습니다. 언론사에 있으면서도 그게 불법인 줄도 몰랐습니다. 처음으로 꽤 큰 돈이 생겼습니다. 그때는 내가 촌지도 안 받고 바르게 살려니까 하나님이 이렇게 용돈까지 보너스로 주시는구나 싶어 그 돈으로 일부 감사헌금도 했습니다. 이후 또 다른 주식을 소개받았습니다. 쉽게 돈을 벌고 보니 더 큰 욕심이 생겼습니다.

　"하나님, 이번엔 올인하려고요. 올인해서 돈이 생기면 반은 하나님께 드릴게요. 하나님은 그 헌금을 북한 선교하는 데 사용하세요. 나머지 반은 제가 가족과 함께 쓰겠습니다."

　그래서 내가 가진 돈은 물론 장모님의 돈도 가져오고 여기저기서 돈을 끌어와 주식을 샀습니다. 당시 은행 통폐합과 관련해 많은 소문들이 있었습니다. 나는 전해들은 정보와 조언을 따라 한 은행 주식을 샀습니다. 그것도 은행 이름을 잘못 알아들어 다른 은행 주식을 샀다가 다시 모두 바꾸는 소동을 벌였습니다. 금요일 오후까지 그 법석을 떨어 은행 주식을 샀는데 다음 주 월요일 아침 뉴스 특보를 통해 그 은행이 사라지게 된 사실을 알았습니다. 맙소사! 순식간에 내가 산 주식이 휴지조각이 되어 버린 것입니다. 사라지는 은행 주식은 모두 소각되기 때문입니다. 자다가 날벼락을 맞은 셈이었습니다. 남은 직장 생활 동안 한푼 안 쓰고 월급을 모아도 모을 수 없는 돈이었습니다. 퇴직금 중간 정산을 해도 절반에 미치지 않았습니다.

그때부터 새벽기도에 나가 원망하며 애통하게 기도했습니다.

"아니 하나님, 어떻게 이럴 수 있습니까? 제가 돈 벌면 반은 주님한테 드린다고 하지 않았습니까? 나만 잘 먹고 잘살자고 주식을 산 게 아니잖아요!"

새벽마다 통곡도 했다가 소리도 높였다가 그야말로 기도가 아니라 난리를 친 셈입니다. 하지만 하나님은 침묵하셨습니다. 6개월, 7개월, 세월은 흐르는데 주님은 대답이 없고 머릿속은 복잡하기만 하고 정말 답답했습니다.

그렇게 속절없이 8개월인가 9개월이 흐른 어느 날, 뜻밖에 나와 내 모든 가족이 거래하는 은행들에서 계좌 추적 통보가 날아왔습니다. 나는 전 정권 때까지 청와대 출입 기자였는데, 새 정권이 출범하면서 부패한 기자들 손 좀 봐야겠다고 몇 사람을 지목해서 6개월간의 계좌를 뒤진 것입니다. 하지만 아무리 뒤져도 빚밖에 없으니까 계좌 추적은 무위로 끝났습니다. 만일 당시 내가 산 주식이 생각대로 대박이 나서 은행 계좌에 몇 십 억이 들어 있었다면 나는 영락없이 부패 기자 1호가 되었을 것입니다. 나중에 안 사실인데, 검찰청이건 누구건 내부의 정보를 이용하면 내부자 거래 행위로 처벌된다는 것입니다. 만일 하나님이 내 기도에 응답해 주셨다면 20년간의 언론인 생활은 하루아침에 끝나고 부패기자로서 감옥에 갈 뻔했습니다.

이 사건을 겪고 나서 나는 돈을 대하는 나의 태도를 보게 되었습니다. 그때까지 나는 내가 돈에 묶인 자라고 생각하지 않았습니다. 그런데 막상 돈을 잃고 나니까 하루 종일 돈을 묵상하고 있는 나 자신을 발견했습니다. 돈이란 것이 얼마나 나를 쥐고 흔들 수 있는 존재인지 알게 되었습니다. 수세에 몰리니까 돈 때문에 옴짝달싹 못하고 돈만 생각하고 돈만 생기면 모든 근심이 사라질 것처럼 굴었습니다. 그때 나는 두 가지 중요한 사실을 알게 되었습니다.

첫째는 내가 얼마나 돈에 묶인 존재인지 알게 되었고, 둘째는 빚이 죄라는 사실을 알게 되었습니다. 빚을 지니까 좀처럼 선한 생각이 나오지 않았습니다. 온종일 빚에 눌려 지냈습니다.

"Forgive us our debts, as we also have forgiven our debtors"마 6:12, NIV

직역하면 "우리가 채무자들을 탕감해 주었듯이 우리의 부채를 탕감해 주세요"입니다. 그러나 개역성경에는 "우리가 우리에게 죄 지은 자를 사하여 준 것같이 우리 죄를 사하여 주시옵고"라고 번역되어 있습니다. 내가 헬라어를 공부하지 않았을 때는 'debts'를 왜 죄로 번역했는지 이해할 수 없었습니다. 그런데 빚을 져 보니까 그것이 죄란 걸 알게 되었습니다. 나중에 신학을 공부하면서 유대인들이 하나님에 대한 빚을 죄라고 생각했다는 걸 알게 되었습니다. 죄란 하나님에게 빚지는 겁니다.

그런 의미에서 예수님이 십자가에서 말씀하신 "다 이루었다"는 헬라어로 테텔레스타이^{τετέλεσται}이고 영어로는 'It is paid'로서 빚을 다 지불했다는 의미가 됩니다. "Your debt is paid"라는 뜻입니다.

그런데 우리 사회는 빚이 능력이 된 사회입니다. 은행에 더 많은 빚을 진 사람이 능력 있는 사람입니다. 특히 재벌이라 불리는 사람들은 대부분 회사 자산보다 은행 빚이 훨씬 많습니다. 그런데도 우리는 그들을 부자라며 부러워하지요. 빚지는 게 당연한 세상, 더 많이 빚지는 게 능력이 된 세상, 빚이 죄인 줄도 모르는 세상을 살고 있는 것입니다. 그래서 요즘 젊은이들은 결혼도 하기 전에 빚이 있는 걸 봅니다. 소득은 생각 않고 먼저 지출부터 하는 소비 습관 때문입니다. 사랑하는 사람이 생기면 명품 선물하지요, 취업하자마자 외제 자동차부터 사야지요, 비싼 외식하면서 데이트하지요, 빚을 지지 않을 수 없는 겁니다.

빚을 지면 돈의 노예가 되고 맙니다. 어딜 가나 무엇을 하나 돈, 돈, 돈이 없으면 안 됩니다. 말할 수 없는 고통에 시달리는 겁니다. 내가 그렇게 고통의 시간을 보내고 있을 때, 하나님은 그 문제를 해결하고 있었습니다. 나는 그 당시에는 꿈에도 몰랐고 나중에야 알았습니다. 오로지 돈을 어떻게 갚을까, 왜 이런 시련이 닥친 걸까 하며 괴로워하는 사이 하나님은 차근차근 준비하고 있었던 것입니다. 고통의 문제, 고난의 문제 속에 하나님의 섭리와 은혜가 있다는 것을 믿으시기 바랍니다.

나는 고통의 터널을 빠져나오며 고난이 이해되기 시작했고, 그러자 그 돈을 내려놓을 수 있었습니다. 나중에 iMBC의 CEO가 되었을 때, 1년만 더 있으면 주식 스톡옵션 stock option 이 그 빚을 갚고 남을 만큼 됐을 텐데 나는 그걸 내려놓았습니다. 그 돈이 있으면 뭘 할까요? 쓰느라 정신이 없겠죠. 하나님은 재물에 대한 훈련을 통해 돈의 사슬을 끊을 수 있는 은혜를 주셨습니다. 몇 십 억 원도 돈같이 보이지 않던 때, 모두를 잃게 하셔서 죄의 뿌리가 탐욕에 있음을 알게 하시더니 탐심을 내려놓는 훈련을 시키신 것입니다. 그때는 돈이 없으면 죽을 것 같았지만 지금은 얼마 안 되는 돈으로도 만족할 수 있고 감사할 수 있습니다.

돈은 벌면 벌수록 더 많이 벌어야 하는 악순환을 가져옵니다. 큰 집으로 이사하면 관리비며 품위 유지비며 들어가는 돈이 더 많아져서 그만큼 더 벌어야 합니다. 돈을 벌고 번 돈을 쓰는 일이 삶에서 가장 중요해지는 라이프스타일이 되고 마는 것입니다.

고난을 찾아 떠나라

하나님이 고난을 자처하신 것은 우리에게 닥칠 고난을 해석하고 이해시키기 위해서입니다. 예수님은 출생부터 고난이시더니 한 몸 누일 집도 없이 떠돌아다니셨습니다. 수많은 사람들이 알아보고 좇는 유명인사가 된 뒤에도 형편은 나아지지 않았습니다. 돈궤를 맡은 가룟 유다는 배신까지 했습니다. 예수님은 최후의 만찬을 베풀며 가룟 유다에게 마지막까지 기회를 주셨으나 유다는 끝내 배신자로서 최후를 맞이합니다.

가룟 유다가 배신하지 않았으면 예수님이 십자가를 안 지셨을까요? 가룟 유다가 배신하지 않아도 예수님은 그 길을 가기로 이미 결정하셨습니다. 여러분, 악역을 맡지 마십시오. 이미 대제사장을 비롯한 종교 지도자들은 예수님을 죽일 작정이었습니다. 그러니 가룟 유다가 예수님이 기회를 주실 때 돌이켰다면 지금까지 저주받는 인물로 기억되지 않았을 것입니다. 제자 중에서 배신자가 안 나와도 예수님은 십자가에 달려야 일이 끝난다는 걸 알고 계셨습니다. 내가 악역을 안 맡아도 주위에 악역을 맡을 사람이 많습니다.

말씀을 듣고 기도한다고 해서 고난이 끝나는 것은 아닙니다. 예수님을 이해한다고 해서 고난이 오지 않는 것도 아닙니다. 다만 고난의 의미와 유익을 알면 어떤 고난도 두렵지 않습니다. 고난에 억눌려 패배하지 않습니다. 오히려 고난의 파도타기를 즐기는 사람이 됩니다. 놀랍지 않습니까? 어떤 사람은 물만 봐도 겁에 질리고 파도가 오면 도망가기 바쁘지만 서퍼^{suffer}는 큰 파도가 올수록 기대감에 흥분을 합니다. 미국의 어떤 사람은 태풍이 온다는 소식이 들리면 나무 꼭대기에 올라가서 몸을 묶고 기다린다고 합니다. 태풍이 왔을 때 나무가 흔들리듯 몸이 흔들리는 것을 맛보기 위해서입니다. 온 몸으로 태풍을 맞으며 하나님의 권능을 맛보고 희열을 느낀다고 합니다.

교회 다닌다고 고난이 없을 것 같습니까? 그렇지 않습니다. 다른 종교는 고난을 피하는 방법을 가르치지만 기독교는 고난을 감당하라고 가르칩니다. 예수님이 고난 가운데로 뛰어들었기 때문에, 우리에게 고난의 의미를 해석해 주셨기 때문에 오히려 고난을 감당하라고 합니다.

예수를 믿는다고 고난이 면제되는 것이 아닙니다. 고난은 계속될 것입니다. 더 큰 고난이 올 수도 있습니다. 그러나 중요한 것은, 그 고난을 능히 감당할 수 있는 능력을 주님이 주십니다. 그게 신앙의 힘입니다. 어떤 고난도 두려워하지 않는 담대함과 놀라운 능력을 우리에게 부어 주십니다. 그게 살아 계신 하나님의 증거가 됩니다.

그래서 저 정도의 고난이면 넘어져야 하는데, 저 정도면 코를 땅에 박고 일어나지 못해야 하는데 다시 일어납니다. 넘어지는 게 실패가 아니라 넘어졌는데 일어나지 않는 게 실패입니다.

고난이 해석되면 이미 고난은 고난이 아닙니다. 고난은 몰라서 고통스럽지 고난을 알면 기꺼이 고난 가운데로 뛰어들게 됩니다. 고난 가운데 고난이 해석되면 윈드 서퍼^{wind suffer}가 파도를 즐기는 것처럼 고난을 즐길 수 있습니다. 고통스럽지 않아서 즐길 수 있는 게 아닙니다. 당연히 고통스럽죠. 그러나 그 고통과는 비교할 수 없는 기쁨이 있기 때문에 즐길 수 있는 것입니다.

아기를 낳아 기르는 기쁨을 모른다면 누가 산고를 겪으려 하겠습니까? 앞으로 태어날 그 아이가 까르르 웃으며 온 집안을 웃음바다로 만들고 커다란 사랑의 기쁨을 주기 때문에 산고의 고난 가운데로 뛰어드는 것입니다.

말씀을 들고 강단에 서는 것은 참 힘든 일입니다. 그래도 매주 낯빛이 달라지는 성도들을 보는 기쁨은 말씀을 준비하는 고통과 비교할 수 없습니다. 얼마나 기쁜지 모릅니다. 새까맣게 죽어 가던 사람이 점점 얼굴이 밝아지는 것을 보면, 그 가치를 생각하면, 내가 겪는 고통은 차라리 특권입니다. 하나님이 이 선물을 주시기 위해 그런 고통 가운데 두셨구나, 고난이 선물이구나! 사람이 선물이구나! 인생이 선물이구나! 탄성이 저절로 나옵니다.

하나님이 "내가 누구를 보내며 누가 우리를 위하여 갈꼬" 하셨을 때 선지자 이사야는 "내가 여기 있나이다 나를 보내소서" 했습니다. 그런데 주님이 보내는 길은 고통스럽습니다. 쉬운 길이 없습니다. 하지만 "내가 가겠습니다" 하고 손을 들고 일어설 때 고난의 선물을 받게 됩니다. 고난은 선물이며 특권입니다.

고난이 특권이라는 게 믿어지면 고난은 더 이상 고난이 아닙니다. 광야학교를 졸업하고 가나안 땅으로 가는 것입니다. 우리 모두가 가나안으로 입교할 수 있기를 바랍니다. 가나안에 가는 것이 고난으로부터의 졸업은 아닙니다. 고난의 의미가 해석되는 것이 졸업장을 받는 길이고, 고난의 의미가 해석되기 때문에 고난이 더 이상 두렵지 않은 것이 주님이 우리에게 주시는 놀라운 선물입니다.

다시 한 번 묻습니다. 왜 예수입니까? 그분이 고난을 받으셨기 때문입니다. 왜 예수밖에 없습니까? 그분이 고난의 끝까지 갔기 때문입니다. 왜 예수님 당신만이라고 합니까? 모든 인생은 고난을 피할 수 없기 때문입니다. 고난의 인생 가운데 고난을 해석하고 답을 주는 분은 예수님밖에 없습니다. 다른 이들이 고난을 피하는 길을 얘기할 때, 예수님은 고난 가운데로 뛰어드셨고 끝까지 걸어가셨고 우리한테도 그렇게 하라고 말씀하셨습니다.

"누구든지 나를 따라오려거든 자기를 부인하고 자기 십자가를 지고 나를 따를 것이니라" 막 8:34

자기 십자가를 지고 가는 것이 예수님을 따르는 길입니다. 예수님과 함께하는 길입니다. 예수님과 함께하면 십자가가 무겁지도 않고 무섭지도 않습니다.

"나는 마음이 온유하고 겸손하니 나의 멍에를 메고 내게 배우라 그리하면 너희 마음이 쉼을 얻으리니 이는 내 멍에는 쉽고 내 짐은 가벼움이라" 마 11:29-30

예수님은 멍에와 짐이 없을 거라고 말씀하시지 않습니다. 다만 그 멍에가 쉽고 가볍게 될 거라고 하십니다. 얼마나 매력적입니까? 짐도 없고 멍에도 없다고 약속했다면 그것은 사기입니다. 우리를 속이는 가짜입니다. 인생에 그런 일은 없습니다. 예수님은 그래서 진짜입니다.

고난을 겪을 때 감사하십시오. 고난이 찾아온 것을 감사하십시오. 그리고 고난이 곧 지나갈 것을 믿으십시오. 고난은 끝이 있습니다. 그러나 그 고난 끝에는 또 다른 고난이 온다는 것도 예견하십시오. 이 땅에서 살아가는 동안 고난은 끝이 없습니다. 파도가 끝이 있습니까? 생명은 곧 고통이듯 인생은 곧 고난입니다. 그러나 고난이 해석되면 고난 때문에 쩔쩔매고 투정부리지 않습니다. 오히려 감사하며 신앙의 여정을 가볍게 기쁘게, 때로는 누군가의 짐을 대신 져 주면서까지 걸어갈 수 있습니다.

LA의 어느 의사는 뒤늦게 예수님을 만난 뒤, 재난이 일어나면 병원 문을 닫고 세계 어디든 달려갑니다. 쓰나미가 났다고 하면 그날 밤 비행기 표를 사서 달려갑니다. 선교재단에 소속된 것도 아니고 선교사로 파송된 것도 아니지만 앞뒤 가리지 않고 무조건 달려갑니다. 가족은 그렇게 위험한 데를 혈혈단신 달려간다니 걱정이 되어 난리가 납니다. 그런데도 그는 하나님이 그런 은혜를 주셨다고 말합니다. 왜 그런 위험한 고난 가운데로 뛰어들겠습니까? 그 고난이 축복인 줄 알기 때문입니다. 경험해 보지 못한 사람은 그렇게 할 수 없지요.

한국 교회는 그동안 너무 안전 지역에만 머물러 있었습니다. 이제 스스로 고난을 찾아서 떠나야 할 때가 되었습니다. 우리가 안 찾아가면 하나님이 우리에게 고난을 주실 것입니다. 우리는 고난이 있을 때 감사하고 고난이 없을 때 고난을 찾아야 합니다. 내 고난이 해석되고 이해될 때, 그 고난이 축복임을 알 때, 남의 고통 가운데로도 뛰어들 수 있습니다.

우리 인생에는 고난이 파도처럼 오고 또 옵니다. 그러나 그 고난과는 비교할 수 없는 기쁨과 특권이 있기 때문에 우리는 다시 일어나 걸어갈 수 있습니다.

WHY
JESUS

REGENERATION

거듭남

거듭나면 인생이 완전히 달라진다

REGENERATION

바리새인 중에서도 산헤드린 공회원이었던 니고데모가 밤에 예수님을 찾아왔습니다. 그러고는 "당신이야말로 하나님께서 보내신 분입니다" 하자 예수님은 서로 인사를 나누기도 전에 대뜸 "너는 거듭나야 하나님 나라를 볼 수 있다"고 말씀하셨습니다.

"사람이 거듭나지 아니하면 하나님의 나라를 볼 수 없느니라" 요 3:3

다시 말해 "너는 하나님을 잘 믿는다고 착각하고 있는데 거듭나야겠다"고 말씀하신 것입니다. 산헤드린 공회원이라면 유대 사회에서 가장 지위가 높은 종교 지도자 중 하나입니다. 산헤드린 공회원은 유대 각주요 도시마다 23명이 있었고, 예루살렘 성전에는 71명의 공회원이 있어 중요한 정치적, 종교적 사안들을 처리했습니다. 산헤드린 공회원들은 유대 사회의 최고층 인사들로 왕정국가라면 로열 클래스^{royal class}에 속한다고 할 수 있습니다. 니고데모는 당시 온 유대 사회가 인정하는 종교인 중에 종교인이었습니다. 그런 니고데모가 예수님이 능력을 나타내신다는 소문을 듣고 궁금했습니다. 하지만 대낮에 찾아가기는 자존심이 허락지 않았습니다. 그래서 캄캄한 밤에 몰래 예수님을 찾아갑니다.

그런 니고데모에게 예수님은 만나자마자 "내가 보니 너는 거듭나야 되겠다"고 말씀하신 겁니다. 다시 풀이하면 "너희들이 입만 열면 하나님과 하나님 나라를 말하는데 그래 가지고는 하나님 나라에 절대 못 들어갈 것이다"고 말씀하신 셈입니다. 그러자 니고데모는 그 말을 못 알아들어 "내가 어머니 뱃속으로 다시 들어가야 한단 말씀입니까?" 하고 엉뚱한 질문을 합니다.

그러자 예수님은 사람이 물과 성령으로 거듭나야 하나님 나라에 들어갈 수 있다^{요 3:5}고 분명하게 말씀하십니다.

예수님이 가져오신 놀라운 선물

거듭남은 예수님이 가지고 온 또 하나의 놀라운 선물입니다. 태아가 자기의 노력으로 태어납니까? 열 달 동안 자기의 노력으로 자랐습니까? 오로지 어머니 뱃속에서 있었을 뿐입니다. 태아 자신이 한 것은 아무것도 없습니다. 여기에 놀라운 예수님의 메시지가 있습니다. 거듭나는 일은 우리 능력으로 되지 않는다는 것입니다.

임신하면 처음엔 임신한 사실을 잘 모릅니다. 그러다 입덧을 하기 시작하면 임신을 의심하게 되지요. 입덧을 하면 내가 즐기던 것들이 안 받기 시작합니다. 태중의 새 생명 때문에 전에 좋아하던 음식을 잘 못 먹게 됩니다. 그러므로 입덧은 새 생명이 잉태되었다는 또 하나의 증거입니다. 성령도 마찬가지입니다. 성령은 새 생명입니다. 크리스천이 된다는 것은 성경을 대충 알고, 조금 기도한다고 해서 되는 게 아닙니다. 새로 창조되어야 합니다. 새로운 피조물이 되어야 한다는 말입니다. 성령이 잉태된다는 것은 우리에게 새 생명이 잉태되었다는 뜻이고, 새 생명이 내 안에서 창조되기 시작했다는 뜻입니다. 이 새 생명이 잉태될 때 내가 한 일이 무엇입니까? 아무것도 없습니다. 예수님이 이 일을 위해서 이 땅에 와서 십자가에 달려 돌아가신 뒤 다시 부활하셨습니다. 그리고 성령을 보내 주시겠다고 약속하셨습니다.

"내가 떠나가는 것이 너희에게 유익이라 내가 떠나가지 아니하면 보혜사가 너희에게로 오시지 아니할 것이요 가면 내가 그를 너희에게로 보내리니"요 16:7

거듭나는 것은 새롭게 창조되는 것입니다. "내가 예수님을 믿겠습니다. 예수님을 내 구주로 영접합니다. 죄를 용서해 주십시오"라는 한마디 말을 하기만 하면 놀랍게도 예수님께서 직접 성령을 보내 주셔서 구제할 길 없는 인간을 새로운 피조물로 창조해 주십니다.

그런데 문제는 내가 임신을 했는데도 그 사실을 모른다는 사실입니다. 입덧이 시작되었는데도 그냥 유산시키는 사람들이 너무 많습니다. 그분이 오시면 평소 익숙했던 것들이 싫어집니다. 갑자기 거짓말이 불편해지고 욕하는 것이 싫고 듣기도 싫어집니다. 술도 싫고 담배도 싫어집니다. 그러면서 갑자기 회개가 시작되고, 눈물이 흐르기 시작합니다. 마치 빛이 한 줄기 비추면 어둠이 물러가듯 그분이 우리 안에 임하면 작은 사인sign에서부터 큰 사인이 나타나기 시작합니다. 큰 사인이 뭘까요? '내가 진짜 죽을 죄인이구나' 하고 내 인생 전체가 부끄러워지고 이제 늦었더라도 돌이켜야겠구나 회개하기 시작하는 것입니다.

그래서 성령의 임재는 회개로 알 수 있습니다. 회개란 입덧에 해당합니다. 그 전까지는 먹고 싶은 대로 먹고 하고 싶은 대로 하는 것이 당연했습니다. 빚을 내서라도 백화점에 가서 마음대로 카드를 긁고 누군가를 만나기만 하면 사람들 뒷얘기 하기를 좋아했습니다. 그런데 어느 날부터 그런 모든 것이 꺼림칙해지기 시작합니다. 잘못을 인정하게 되고 회개하기 시작합니다. 이런 사인이 매우 중요한데도 우리는 너무 쉽게 생각해서 무시하곤 합니다.

내가 두 번이나 앓은 구완괘사도 증상이 나타나기 전에 몇 가지 사인이 나타납니다. 만성 피로, 목이 뻣뻣함, 어깨 결림, 두피가 아픔, 두통, 귀 뒤쪽의 신경을 자극하는 찌릿찌릿한 아픔, 새벽이라도 하품이 계속

되는 것과 같은 많은 사인들이 나타납니다. 그런데 내가 무지했던 탓에 이런 사인들을 계속 무시했습니다. 내 몸이 내게 거듭 사인을 보내도 무시하기만 하니까 마침내 입이 돌아가 버린 것입니다.

하품이 계속 나는 것은 피곤하니 이제 그만 쉬라는 신호입니다. 잠을 더 자라는 신호입니다. 어깨가 뻐근하고 아프기 시작하면 무거운 짐을 내려놓으라는 신호입니다. 이런 신호를 무시하면 안 됩니다. 마치 기상벨이 7시 정각에 따르릉, 15분에 따르릉, 30분에 따르릉 계속 울려도 무시하고 자다가 약속 시간이나 출근 시간에 지각하는 것과 같습니다. 우리한테 오는 수없이 많은 경고를 무시해선 안 됩니다.

입덧이 일어나는 이유는 태중의 생명을 보호하기 위해서입니다. 회개는 새 생명이 살아갈 수 있는, 새 생명이 우리 안에서 자랄 수 있는 환경을 만드는 것입니다. 그래서 회개 없이는 새 생명이 절대 자랄 수 없습니다. 회개가 없으면 나중에 결국 사산을 하거나 유산을 해 버릴 수 있습니다.

그런데 임신도 안 됐는데 임신한 줄 알고 사는 사람도 있습니다. 가상 임신입니다. 남들이 찬양하면 같이 손들고 찬양하고, 남들이 울면 같이 울고, 이상한 방언도 배워서 합니다. 증세는 비슷해도 열매가 없어서 산달이 됐는데도 아기가 안 나옵니다. 임산부들하고 다니니까 자신도 임신한 줄로 착각하는 것입니다. 이런 일들이 실제로 일어나고 있습니다.

거듭나지 않는 것이 독이다

거듭남을 진지하게 생각하지 않으면 크리스천은 가장 악독한 위선자가 됩니다. 왜 그렇습니까? 자기는 전혀 선한 데가 없으면서 남을 판단하고 비판하고 정죄하고 나무라니까 그렇습니다. 사실 교회에서 이런 일이 가장 많이 일어납니다. 초대교회는 믿음을 지키기 위해 목숨을 걸고 예배당에서 만나지 않았습니까? 언제 누가 어디서든지 예수를 믿는다는 이유로 순교를 당할지 알 수 없는 상황에서도 서로 만나기를 힘썼습니다. 교제하고 선을 행했습니다. 그런데 오늘날 교회는 안타깝게도 자기 마음에 안 든다고 떠나고, 설교가 싫다고 떠납니다. 10년 20년 교회를 다녀도 아무 말 없이 그냥 떠나 버리면 그만입니다.

예수님은 우리를 성령으로 거듭나게 하기 위해서 오신 분이지 세상에서 잘 먹고 잘살며 권력을 누리게 하기 위해 오신 분이 아닙니다. 우리가 살아가는 시스템이 근본적으로 잘못되어 있음을 깨우쳐 주기 위해 오셨습니다. 그분은 떨어지면 그대로 즉사하는 벼랑에 서 있는데도 절벽을 향해 계속 걸어가는 우리에게 "제발 돌이키라"고 외치고 계십니다.

거듭남은 그래서 '돌이키는 것'에서부터 시작됩니다. 완벽하게 터닝turning 하는 데서 거듭남이 시작됩니다. 다시 말해 회개로부터 거듭남이 시작됩니다.

회개는 헬라어로 메타노이아μετανόια 로 '완전히 뒤돌아서 간다'는 뜻입니다. 완전히 뒤돌아서지 않으면 육의 습관이 자꾸 걸림이 되어서 새 생명으로 옮겨지기가 힘듭니다. 새 포도주를 새 부대에 넣어야 하는 이유가 여기에 있습니다. 헌 베옷에 생베를 기우면 옷이 다 찢어지기 때문입니다. 새 생명을 옛 삶의 패러다임 속에 구겨 넣으면 안 되는 것입니다.

그러면 어떻게 해야 이 새 생명이 자랄 수 있을까요?

성경을 보십시오. 성경에 크고 작은 문제에 대한 답이 있습니다. 그런데 성경 말씀을 묵상할 때 조심할 것이 있습니다. 말씀 적용에 급급해서 말씀을 무리하게 내 삶의 상황에 대입하면 안 됩니다. 이것 역시 나 중심으로 생각하는 옛사람의 버릇입니다. 묵상할 때는 말씀을 통해 하나님의 뜻을 분별하고 하나님의 음성을 듣는 데 초점을 두어야 합니다.

새 생명은 하나님 중심으로 생각을 돌이키는 것입니다. 성령을 내 육신의 생명과 야망과 탐욕을 이뤄 가는 연소제로 생각하면 곤란합니다. 이것은 마치 몸과 마음을 수련한다는 사람들이 가르치는 것처럼 기와 능력을 더 받아서 세상을 좀 더 활기 있게 내 뜻대로 살겠다는 것과 다르지 않습니다. 그런데 안타깝게도 많은 사람들이 성령을 그렇게 생각합니다. 새 생명을 그런 것으로 오해합니다. 교회가 이 잘못된 생각을 교정하여 깨우치기보다 오히려 부추기며 사람들의 비위를 맞추고 있다면 예수님께 이런 말씀을 듣게 될 것입니다.

"나더러 주여 주여 하는 자마다 다 천국에 들어갈 것이 아니요 다만 하늘에 계신 내 아버지의 뜻대로 행하는 자라야 들어가리라" 마 7:21

220

2천 년 전에 바리새인들은 날마다 "주여, 주여" 불렀지만 그 삶은 하나님의 뜻과 전혀 다른 길로 갔습니다. 마태복음 7장 21절에서 '내 아버지의 뜻'이란 다름 아니라 세상에 대해 입덧하는 것입니다. 세상 것을 거부하라는 뜻입니다. 그러나 바리새인들은 입으로만 주를 불렀지 실상은 세상 것을 덧입기에 바빴습니다. 예수님은 그래서 내 입덧이 끝나고 새 생명이 완전히 탄생되었을 때, 그때 우리를 세상으로 다시 보냅니다. 그렇게 파송되었을 때 우리는 내 능력과 의지가 아니라 예수님의 뜻과 능력으로 세상을 이길 수 있는 자가 됩니다. 세상에 더 이상 유혹받는 자가 아니라, 또다시 내 것을 추구하다 세상 덫에 걸려 넘어지는 자가 아니라, 새로운 생명으로 살아가는 자가 됩니다. 성령받은 삶이란 이제 사생애가 끝나고 공생애가 시작된 삶입니다. 거듭난 삶이란 더 이상 내 것을 탐욕스럽게 추구하는 삶이 아닙니다.

자녀를 깊이 사랑하는 어머니는 더 이상 '나'를 추구하지 않습니다. 자녀가 아무리 애를 먹여도 끝까지 포기하지 않습니다. 어떻게든 자녀가 교육을 잘 받고 결혼해서 일가를 이루기까지 지원하고 격려합니다. 자녀를 바르게 세우고자 하는 어머니의 의지는 '나'를 더 강화시키고자 하는 의지가 아니라 자녀를 세우고자 하는 의지입니다. 그런데 그 의지가 변질되어서 내 자존심과 체면을 위해 자녀를 공부시키고 대학 보내고 결혼시키는 부모가 있습니다. 겉으로 드러난 모양은 비슷할지 모르나 전자와 후자는 전혀 다릅니다. 전자는 자녀를 세우고자 하는 의지이고 후자는 나를 세우기 위한 의지입니다. 문제는 나를 세우기 위한 의지는 자신이나 자녀를 불행으로 이끈다는 것입니다. 그리고 그 의지가 뒤섞여 있어서 혼란스러울 때가 많다는 것도 문제입니다.

어떤 청년이 명문대학에 들어가자마자 아파트 옥상에서 뛰어내려 자살을 했다고 합니다. '엄마의 꿈이 명문대 입학이었으니 이제 나는 가도 되지?'라는 유서를 남기고 말입니다. 그 어머니는 이 청년을 명문대학에 보내기 위해 얼마나 애쓰고 수고했겠습니까? 하지만 그 헌신이 누구를 위한 헌신이었는지는 이 청년의 결단을 보면 분명히 알 수 있습니다.

뿌리 깊은 우리의 죄성을 들여다보지 않고, 회개를 통해 거듭나지 않으면 우리는 가장 골치 아픈 종교인이 되고 맙니다. 우리는 예수님을 통해 반드시 날마다 거듭남을 경험해야 합니다. 아침에 눈뜨면 사실 부활한 거 아닙니까? 지난밤에 죽었다가 다시 일어나는 거지요. 그러면 어제처럼 살지 않도록 기도하며 오늘 새 생명을 받은 걸 감사하며 새로 시작해야 합니다. 해로운 믿음처럼 독이 되는 것이 없습니다. 내가 하나님 앞에서 그리고 나 자신에게 정직하지 않으면 해로운 믿음을 가지고 있어도 알지 못합니다. 세상에 독을 전염시키는 골치 아픈 종교인이 되는 것입니다. 해로운 믿음으로는 기쁨이나 자유함을 누릴 수 없습니다. 해로운 믿음들끼리 모이면 누가 더 잘하나 비교합니다. 그래서 헌금표, 훈련표, 예배 참석표 같은 비교 경쟁 시스템을 만들어 놓습니다.

새벽기도 얼마나 하나, 십일조 하나 안 하나, 교회에서 봉사를 하나 안 하나 그런 일들로 서로 경쟁하게 만드는 제도에 갇혀 버리면 바로 해로운 믿음으로 가게 됩니다. 은혜받으면 십에 구조면 어떻고 십에 오조면 어떻습니까? 십일조를 여기에 하건 저기에 하건 무슨 상관입니까? 하나님의 것을 왜 교회가 소유해야 한다고 고집합니까? 거듭나지 않으면 종교인들은 교회에서나 세상에서나 독이 될 수 있습니다.

성령이 임하면 거듭난 삶을 산다

하나님 앞에서 정직하기로 결단했다면 주님께 물어봐야 합니다.

"주님 저 거듭난 것 맞습니까?"

그러면 주님이 대답해 주실 것입니다. 우리에게 그것을 알 만한 양심을 주셨기 때문입니다.

"내가 네게 거듭나야 하겠다 하는 말을 놀랍게 여기지 말라 바람이
임의로 불매 네가 그 소리는 들어도 어디서 와서 어디로 가는지 알
지 못하나니 성령으로 난 사람도 다 그러하니라"요 3:7-8

어떤 사람은 물세례 받을 때 성령세례를 받기도 하고 어떤 사람은 물세례 받고 나서 한참 뒤에 성령세례를 받기도 합니다. 혹은 성령세례부터 받고 물세례를 받는 사람도 있습니다. 고넬료가 성령세례를 먼저 받은 대표적인 사람이지요.

성령세례와 거듭남은 사실상 같은 말이지만 반드시 일치하지는

223

않습니다. 그러나 분명한 것은 거듭남을 경험하지 않으면 예수님을 따라갈수록 힘이 듭니다. 예수님을 따르는 길은 내 힘으로 가는 것이 아니기 때문입니다. 내 힘으로 끝까지 갈 수 있는 길도 아닙니다. 그러나 새 생명으로 따라가면 땅 위를 기어가는 존재가 아니라 하늘을 날며 비상하는 존재가 될 것입니다.

구원파라는 이단은 거듭난 날짜를 정확하게 알아야 한다고 주장합니다. 그래서 당신은 몇 날 몇 시에 구원받았냐고 계속 물어봅니다. 대답을 못하면 가짜라고 을러댑니다. 그러나 어머니들에게 몇 날 몇 시에 임신했냐고 물으면 정확하게 대답해 줄 수 있는 어머니는 없습니다. 성령은 바람이 임의로 불듯이 언제 왔는지 알 수 없습니다.

예수님을 만나는 놀라운 경험을 할 때, 어떤 사람은 빛이 임하는 것을 보기도 하고, 어떤 사람은 꿈에 환상을 보기도 하고, 어떤 사람은 설교나 기도 중에 통곡이 터지기도 합니다. 이렇게 여러 가지 경험을 하지만 분명한 것은 성령이 오시면 절대 홀대하지 마십시오. 우리는 성령님을 하나님으로 대접해야 합니다. 그분이 내 안에 계시므로 내 것이라고 생각해서도 안 됩니다. 반대로 내가 그분의 것이 된 것입니다. 성령은 한 분이시고 하나님이십니다.

내 성령님이란 건 없습니다. 성령님은 한 분이십니다. 성부, 성자, 성령이 삼위일체 하나님이듯이 그분은 하나님이십니다. 사랑이신 하나님, 그 사랑을 보여 주신 예수님, 날마다 그 사랑을 살도록 하는 성령님은 다 한 분이십니다. 그래서 성령이 오시면 그동안 용서할 수 없었던 것들이 용서됩니다. 참을 수 없었던 일들이 참아지고 하찮아 보이던 것들이 아주 귀하게 보입니다. 큰일 작은 일의 차별이 사라집니다. 놀랍게도 세상 것으로부터 멀어지기 시작합니다.

하늘의 것이 우리 안에 오면 땅의 것들과 조금씩 거리가 생기게 됩니다. 옛날에는 너무 소중했던 것이 조금씩 덜 소중해지고 영혼에 관심을 갖기 시작해서 내 속을 썩이던 남편이 밉지 않고 불쌍해 보입니다. 전에는 남편이 술 마시고 늦게 집에 돌아오면 그렇게 밉더니 이제는 저러다 지옥 가면 어쩌나 싶어 안타깝고 불쌍합니다. 와이셔츠에 립스틱이라도 묻혀 오면 당장 헤어지고 싶고 부르르 성이 나더니 이제는 저 시궁창에서 언제 빠져나오나 하며 안타깝기만 합니다.

이것은 우리의 의지로 할 수 없습니다. 우리의 의지로 할 수 있다면 예수님이 십자가를 지실 이유가 없습니다. 예수님이 고난당할 이유가 없습니다. 우리가 할 수 없으니까 예수님이 이 땅에 오셔서 고난을 받으신 것입니다. 육신의 임신은 배우자가 필요하지만 성령의 임신은 예수님으로 시작된 일입니다. 왜 예수입니까? 거듭남을 위해서입니다. 거듭나면 더 이상 나를 의지하지 않습니다. 그러면 나는 농땡이 치고, 게으르고, 함부로 삽니까?

아닙니다. 그때부터 나는 비로소 진정한 나로 살기 시작합니다. 이전까지는 사람들의 눈치를 보며 살았습니다. 입고 먹고 쓰고 하는 모든 욕구를 사람들이 하는 대로 따라 했습니다. 사람들이 원하는 것을 나도 원했습니다. 하지만 거듭나면 사람들의 시선과 생활방식에서 자유로워집니다. 자유롭다고 홀랑 벗고 다닙니까? 아닙니다. 자유롭다는 것은 평범하게 살아도 아무 문제가 없다는 의미입니다. 사람들과 적어도 같아지거나 그들보다 더 튀어야 직성이 풀리던 예전의 내가 지극히 평범한 생활을 즐기게 되는 것입니다. 무슨 일을 하건 사람들에게 주목받고 싶고 사람들에게 내 영향력을 과시하고 싶고 군림하고 싶던 내가 더 이상 사람들의 시선에 목마르지 않습니다. 왜 그렇습니까? 그분이 나를 알아주기 때문에 사람들이 알아주지 않아도 괜찮은 것입니다. 그래서 지극히 평범한 것이야말로 놀라운 영성입니다. 지극히 일상적이고 사소한 것이야말로 영성의 보고입니다. 그때부터 나 때문에 일하는 게 아니라 하나님 때문에 하게 됩니다. 하나님 때문에 하는 일은 알아줘도 그만 몰라줘도 그만입니다. 내가 드러나건 감춰지건 개의치 않습니다.

우리는 지금 당장 천국에 가고 싶습니다. 하지만 하나님이 나에게 맡겨 두신 일이 있기에 기꺼이 나를 던집니다. 이것이 공적인 삶public life, 거듭난 삶입니다. 우리 모두가 그런 거듭남을 통해 마음껏 자유하고, 마음껏 베풀고, 바다처럼 하늘처럼 넓어진 인생을 살기를 바랍니다.

"내가 그리스도와 함께 십자가에 못 박혔나니 그런즉 이제는 내가 사는 것이 아니요 오직 내 안에 그리스도께서 사시는 것이라 이제 내가 육체 가운데 사는 것은 나를 사랑하사 나를 위하여 자기 자신을 버리신 하나님의 아들을 믿는 믿음 안에서 사는 것이라"갈 2:20

거듭나면 더 이상 나를 내세우지 않습니다. 내 안에 예수 그리스도가 사시기 때문입니다. 거듭나면 더 이상 나를 고집하지 않습니다. 내 안의 예수님이 더 소중하기 때문입니다

"모든 성도 중에 지극히 작은 자보다 더 작은 나에게 이 은혜를 주신
것은 측량할 수 없는 그리스도의 풍성함을 이방인에게 전하게 하시
고 영원부터 만물을 창조하신 하나님 속에 감추어졌던 비밀의 경륜
이 어떠한 것을 드러내게 하려 하심이라"엡 3:8-9

받은 게 너무 많아서 나누는 게 전혀 아깝지 않은 삶, 거듭난 우리가 가야 할 고지입니다. 쉽지는 않지만 내 힘으로는 절대 못 간다는 것을 인정하는 게 거듭남의 축복이고, 비밀입니다.

WHY
JESUS

FOLLOWER

제자

세상의 리더가 아니라 예수님의 제자가 돼라

FOLLOWER

믿음이란 보이지 않는 걸 따라가는 겁니다. 보이는 걸 좇는 것은 확인이라고 하지 믿음이라고 하지 않습니다. 예를 들어 내가 여러분에게 "내 손에 동전이 있을까요, 없을까요?" 물으면 여러분은 보지 못했기 때문에 내 손에 동전이 있는지 없는지 모릅니다. 그런데 내가 다시 "내 손에 동전이 있습니다"라고 한다면 여러분은 내 말을 믿을 수도 있고 아닐 수도 있습니다. 이때 믿음이란 무엇입니까? 내 말을 믿는 것입니다. 다시 말해 믿음은 동전을 믿는 것도 아니고 내 손을 믿는 것도 아니고 내 말을 믿는 것입니다.

마찬가지로 하나님을 믿는다는 것은, 하나님의 말씀을 믿는 것입니다. 하나님이라고 부르는 그 이름을 통해서 그분이 존재한다는 걸 믿는 겁니다. 존재하지 않는 것은 이름이 없습니다. 창세기를 보면, 하나님이 이 땅의 모든 것들을 지으시고 아담을 불러서 만물의 이름을 짓게 하십니다. 만물을 지으신 건 하나님이지만 그 이름은 우리 인간에게 붙이라 하셨습니다. 하나님의 창조 사역에 우리를 초청하신 것입니다. 놀라운 특권이지요.

제네시스, 그랜저, 소나타, 아반떼… 모두 현대자동차에서 나온 자동차입니다. 프라이드, 쏘렌토, K5는 기아자동차에서 나온 자동차들입니다. 그런데 현대에서 만든 차들은 현대자동차에서만 그 이름을 지을 수 있습니다. 기아에서 만든 차들은 기아자동차에서만 이름을 지을 수 있지요. 여기서 우리는 이름은 그것을 만든 사람이 짓는다는 사실을 알게 됩니다. 그리고 이 세상에 존재하지 않는 것에는 이름을 붙일 수 없습니다. 이것이 중요합니다. 우리는 무無라고 하면 없다고 생각하고, 공空이라고 하면 비었다고 생각합니다. 그러나 사실은 무나 공이라고 하는 상태가 있다는 것을 뜻하는 말입니다. 이것이 중요합니다.

포스트모던 시대의 많은 사람들은 신이 없다고 말합니다. 그런데 신이 없다고 말하려면 신이라는 말 자체가 없어야 합니다. 무신론은 신을 이해하는 방법 중 하나일 뿐입니다. 내가 이해할 수 있고, 손에 잡을 수 있는 신이 없다고 말하는 것입니다. 그래서 무신론자들은 자기 자신을 믿습니다. 자기 자신이 신이 되는 것입니다. 혹은 사상이나 물질을 신으로 삼습니다. 어떤 모양으로든 신을 만들어 내는 것입니다.

그런데 예수님은 이 땅에 오셔서 하나님을 아빠라고 부르라고 하셨습니다. 놀랍게도 말이지요. 왜냐하면 우리가 경험할 수 있는 하나님의 형상에 가장 가까운 모습이 아빠이기 때문입니다.

예수님의 말씀, "나를 따르라!"

나는 아버지를 일찍 여의어서 아버지 얼굴을 기억하지 못합니다. 아니, 사실 아버지는 나를 버린 것이나 다름없었습니다. 아버지의 부재로 인한 외로움을 달래기 위해 나는 어려서부터 누군가를 찾아 헤맸던 것 같습니다. 중학교에 입학했을 때인데, 첫날 반 배정을 받고 나서 내 짝꿍을 집에 초대했습니다. 그런데 이 친구가 저녁이 되고 밤이 되었는데도 집에 갈 생각을 하지 않는 것입니다. 그래서 같이 잤습니다. 다음 날도 그 다음 날도 친구는 집에 가지 않더니 고등학교 졸업할 때까지 우리 집에서 살았습니다. 알고 보니 그 친구 집은 형편이 어려워서 한 방에 7~8명이 자야 했고, 그 친구는 집을 나오고 싶어 했습니다. 하지만 나는 처음엔 친구가 생겨서 좋았지만 같이 있으니까 왜 안 가나 싶고 나중에는 무척 답답했습니다. 결국 내가 집을 나가는 일이 벌어졌습니다.

중학교 2학년 때인데, 겉멋이 심하게 들어서 늘 건들거리며 욕을 잘하던 친구가 어느 날 나더러 독서실에 가자고 해서 따라갔습니다. 거기서 담배를 배웠습니다. 그 친구가 멋있게 담배를 한 모금 피우더니 나더러 한번 해보라고 해서 담배를 물었습니다. 목이 따갑고 나중에는 머리가 어질어질한데도 끝까지 담배를 피웠습니다. 또 하루는 친구들과 중국집에 가서 다같이 어울려 배갈을 입에 댔다가 술을 마시기 시작했습니다. 이때부터 곁길로 새기 시작해서 술 담배는 물론이고 나중에는 당구장 출입까지 하면서 이런저런 말썽을 피웠습니다. 돌이켜보니, 그날 친구들따라 중국집에서 입에 술을 대기 시작한 것이 이후 33년간 줄곧 술을 마시게 된 출발점이었습니다. 중학교 2학년 때 만나서 어울리던 친구를 따라다닌 것이 내 인생이 꼬이기 시작한 아주 결정적인 계기가 되었습니다.

나중에 어머니와 할머니가 '부모 팔아 여비를 마련해서 친구 따라 강남 갈 놈'이라면서 무섭게 화를 내셨는데, 당시 나는 정말 그랬습니다. 아버지의 부재 때문인지는 몰라도 나는 끊임없이 누군가를 찾았고, 그 누군가를 갈망했습니다. 누군가를 따르고 싶고 누군가와 가까워지고 싶은 열망이 뜨거웠습니다. 그러다 고3이 되었습니다. 대학에 가려면 방학 때 집중적으로 공부를 해야 하는데 기어이 친구따라 강남 가는 일이 벌어졌습니다. 입시원서를 직접 작성해야 하는데 담임선생님에게 미리 희망하는 학과를 통보하다시피 해놓고 무작정 서울로 올라간 것입니다. 한겨울에 밤 열차를 타고 상경했다가 잘 곳이 마땅치 않아 고생했던 일이 엊그제 같습니다. 그 해 대학입시는 선생님이 자기 생각대로 원서를 써서 내 희망과는 전혀 상관 없는 학과에 응시했고 결과는 낙방이었습니다. 재수를 하는 동안에도 매일같이 술친구들과 시간을 다 보냈습니다. 그 많은 시간을 또 허비한 것입니다. 정말 친구에게 속을 다 내주었고 친구라면 아까울 것이 없었습니다.

그러나 친구를 따르든 이성을 따르든 누군가를 따른다는 것이 얼마나 위험한 일인지 모릅니다. 옛날 어르신들이 "객지 나가면 친구를 잘 만나야 한다"고 했는데 정말 그렇습니다. 친구는 내 얼굴이나 다름없습니다. 좋은 친구를 만나면 내 얼굴도 선해지고 좋지 않은 친구들과 어울리면 내 얼굴도 일그러지고 맙니다.

그러다 어떤 스님을 따라 사찰 암자에 들어가서 몇 달간 수행을 하기도 했습니다. 스님이 되겠다고 따라나섰던 것이지요. 인생의 멈추지 않는 방황이 시작된 거예요. 그 방황은 대학과 대학원을 졸업하고 언론사에 들어갈 때까지 계속되었습니다. 당시 언론사를 택한 것은 취업 기회가 많지 않은 탓도 있지만 언론인이 가장 자유로운 직업이라고 믿었던 탓입니다. 또 당시 방송사 앵커였던 봉두완 씨를 보면서 저분의 길을 한번 따라가 보자고 마음먹은 탓이기도 합니다.

사실 더 어렸을 때부터 나의 기행은 시작되었습니다. 초등학교 때 세계 여행을 하고 돌아온 김찬삼 씨 책에 푹 빠져서 그분을 따라 평생 여행가로 살겠다고 다짐했습니다. 그래서 처음 일을 저지른 게 초등학교 때 일본으로 밀항을 시도하다가 실패한 일입니다. 대학 재수 시절에는 그분 흉내를 내느라고 청계천에서 자전거 하나 사 가지고 전국 여행을 떠난 적도 있습니다. 지금이야 전국의 도로가 잘 닦여서 자전거로 전국을 일주하는 것이 대단한 도전이 아니지만, 당시는 도로 사정이 좋지 않아서 고생이 이만저만하지 않았습니다. 여행 경로를 이리저리 바꿔 가며 어렵게 부산까지 당도해서는 더 이상 자전거를 탈 수가 없어서

2,800원에 산 자전거를 2,500원에 되팔고 돌아왔습니다. 이 모든 것이 오로지 '저 사람을 따르고 싶다'는 열망 때문에 한 일이었죠.

내가 정말 따라야 할 한 분을 만나기 전까지 내 인생은 방황, 방랑 그 자체였습니다. 아버지가 없어서인지 집에 꼭 들어가야 한다는 생각도 별로 없었습니다. 나가서 자는 곳이 곧 집이었습니다. 어렵사리 어딘가를 가서는 또다시 다른 곳으로 떠날 준비를 하곤 했죠. 누가 쫓아오는 것도 아닌데 어딘가를 가야 한다, 누군가를 따라가야 한다는 생각이 나를 자꾸 밖으로 몰아냈습니다. 예수님을 만나기 전까지 다른 종교에 심취하기도 했고 한동안은 오쇼 라즈니쉬에 빠지기도 했습니다.

내가 왜 이런 이야기를 하냐면, 진정한 리더를 만나지 못하면 자꾸 곁길로 빠지고 허황된 것을 좇기 때문입니다. 여러분은 나처럼 누군가를 따라다닌 적이 있습니까? 보통 훌륭하신 부모님 아래서 자란 자녀들은 그렇게 방황하지 않습니다. 우리 인생에서 부모는 정말 중요한 존재입니다.

그러다 마흔일곱 살이 되어서야 예수님을 만났습니다. 성경을 보는데 예수님이 제자들을 만나서 "나를 따르라 follow me"라고 한마디 하시는 것입니다.

'도대체 이분은 왜 멀쩡하게 어부 생활하는 이 사람들을 찾아와서 자기를 따르라고 하는가? 자기를 따르면 이들의 인생을 책임지겠다는 건가?' 싶었습니다.

나는 예수님이 당시에 보잘것없는 사람들을 제자로 부르시는 것에 완전히 매료되었습니다. 당시 랍비들한테는 문하생이 따라다녔는데 가말리엘이나 힐렐과 같은 유명한 랍비들의 문하생이 되는 것은 요즘 아이비리그에 들어가는 것보다 더 어려웠습니다. 열세 살까지 모세오경이라고 부르는 창세기, 출애굽기, 레위기, 민수기, 신명기를 통째로 외워야 겨우 입학 자격이 주어졌습니다. 그러고도 그들 중에서 다시 추려서 문하생을 뽑았습니다.

그런데 예수님은 인생에 단 한 번이라도 랍비의 문하생이 될 생각도 없었고 또 손톱만큼도 그럴 자격이 없는 사람들을 부르셨습니다. 혹시라도 제자 삼아 달라고 찾아오면 두 번 생각할 것도 없이 단번에 거절해야 할 사람들을 예수님은 직접 찾아가서 "나를 따르라" 하신 것입니다.

나는 이 장면에서 숨이 턱 막혔습니다.

'신은 인간을 찾아간다.'

인간과 깊은 관계를 맺기 원하는 신이 인간을 먼저 찾아간다는 사실을 그 순간 깨달았습니다. 내가 애써 찾지 않아도 찾아오신다는 것입니다. 그리고 우리는 신을 찾을 능력도 없습니다. 우리가 볼 수 없는 존재는 먼저 우리에게 다가와야 합니다. 그분이 진짜라면 우리를 초청해야 합니다. 불러야 합니다. 신이 유명한 랍비들처럼 많은 문하생 후보생들 중에서 제일 똑똑한 놈을 골라서 제자 삼는다면 나 같은 사람은 아무리 찾아가도 그를 따라갈 수 없습니다. 그분이 내게 와서 "나를 따르라"고 해야 나 같은 사람도 제자가 될 수 있는 것입니다.

붓다는 샤캬 부족의 왕자였습니다. 왕자로 태어나 결혼도 했고 자녀도 낳았으나 스물아홉에 다 버리고 출가해서 서른다섯에 득도하여 80 여 년을 돌아다니며 가르쳤습니다. '인생은 고통의 바다이니 모든 것을 내려놓고 자유하라'가 붓다의 가르침이었습니다. 하지만 바닥 인생을 사는 사람들은 '내려놓으라'는 말을 이해할 수 없습니다. 한 번도 제대로 가져 본 적이 없다고 생각하는데 무엇을 내려놓을 수 있겠습니까?

내가 청담동에서 교회를 개척하니까 왜 하필이면 부자 동네에서 개척하느냐고 볼멘소리를 하는 사람들이 있었습니다. 하지만 부자들이 영혼은 더 가난합니다. 모든 걸 다 가졌는데 가난한 사람들이 바로 부자입니다. 예수님은 가난한 사람들만 찾아가신 것이 아닙니다. 사회 지도층도 만나셨습니다. 이들 중 하나인 니고데모는 나중에 예수님의 제자로 살기도 했습니다.

중요한 것은 예수님이 우리를 찾아와서 "나를 따르라"고 부르신다는 사실입니다. 이 음성을 들어야 합니다. 예수님이 부르시는 음성을 들으면 '내가 예수님을 따라가야겠구나. 세상과 세상 사람들을 따라갈 게 아니라 예수님을 따라가야겠구나' 하는 생각이 저절로 듭니다. 이런 생각이 들도록 만드는 분이 예수님입니다. 그런 까닭에 나는 평소에도 복음서를 열심히 읽으라고 당부합니다. 우리말이 이해 안 되면 영어로 읽어 보십시오. 영어도 이해가 안 되면 헬라어를 찾아서 읽어 보십시오. 헬라어 프로그램을 깔면 해석하는 것이 어렵지 않습니다. 뜻이 이해될 때 그 기쁨이란 이루 말할 수 없습니다. 성경이 이해되고 깨달아지면 예수님이 우리를 향해 부르시는 "나를 따르라"가 귀에 들립니다. 그동안 귀가 막혀서 듣지 못하던 예수님의 음성이 또렷이 들립니다.

예수님의 팔로어가 돼라

안드레는 처음엔 세례 요한을 따랐습니다. 당시 세례 요한이 더 유명했으니까요. 세례 요한은 언제나 "회개하라 천국이 가까이 왔느니라"마 3:2 하고 외쳤습니다. 그러던 어느 날 안드레는 뭔가 충족되지 않은 것이 있었는지 예수님을 찾아갔습니다. 너무 강한 세례 요한에 비해 예수님은 훨씬 부드러웠죠.

예수님은 안드레를 자기 집으로 데려가서 한나절을 같이 보냅니다. 그러자 안드레는 자기 형인 시몬 베드로를 찾아가 "내가 메시아를 만났다"고 했습니다. 베드로는 그 길로 예수님을 만났으나 첫눈에 메시아임을 알아보지 못했습니다. 나중에 물고기를 잡으러 밤에 나갔다가 한 마리도 잡지 못해서 허탈해 하던 날 예수님은 그에게 오셔서 "다시 깊은 곳에 그물을 던져 보라"고 하셨습니다. 베드로는 명색이 랍비라는 사람한테 함부로 말할 수는 없었지만 속으로 콧방귀를 뀌었을 것입니다. '당신이 물고기에 대해 뭘 알아? 물고기는 내 전문이야. 평생 이 갈릴리에서 물고기를 잡아먹고 산 사람인데 물고기가 언제 나타나는지 알기나 해? 그런데 지금 물고기를 잡으러 나가라고?'

베드로는 집에 돌아가 한숨 자야 할 판이지만 다시 바다로 나갔습니다. 시키는 대로 깊은 데로 가서 배 오른편에 그물을 던졌습니다. 그런데 이게 웬일입니까? 고기가 너무 많이 잡혀서 그물이 찢어질 정도였습니다. 그 순간 베드로는 '야호! 대박 났다'고 콧노래를 부르지 않았습니다. 오히려 두려워하며 "주여 나를 떠나소서 나는 죄인이로소이다" 하고 고백했습니다. 베드로는 예수님이 메시아임을 알아본 즉시 자신이 죄인임을 깨달은 것입니다. 죄인이라서 예수님의 제자가 될 자격이 없으니 "나를 떠나소서" 한 것입니다.

그런데 예수님은 놀랍게도 자격이 없다는 사람을 부르십니다. 사실 '내가 자격이 충분하다'고 생각해서 크리스천이 된 사람은 없습니다. 그렇게 생각하는 사람은 예수님을 따르기가 너무 힘듭니다. 예수님이 부르셔도 따라나서지 못합니다.

세리 마태는 유대 사회에서 완전 왕따였습니다. 아무도 그를 인간 취급하지 않았습니다. 그런데 예수님은 그를 찾아가서 "나를 따르라" 하셨습니다. 마태는 세관에 앉아 있으면 일생을 돈 걱정 없이 살 수 있었습니다. 그런데 마태는 예수님의 부르심을 듣고 무작정 따라나섰습니다. 왜 그랬을까요?

마태는 지금까지 돈을 가질 만큼 가져 봤습니다. 그러나 그 돈이 자신을 만족시키지 않는다는 걸 깨달았습니다. 그래서 예수님이 "나를 따르라" 하는 순간 '더 이상 돈은 필요 없어. 소문에 듣자 하니 저분이 병도 낫게 하고 많은 사람들에게 기적을 베푼다는데 한번 따라가 보자. 저 사람에게 한번 내 인생을 걸어 보자'라고 결단한 것입니다.

마태도 그렇지만 베드로와 안드레도 예수님의 팔로어^{follower}가 되는 순간 모든 것을 버리고 떠났습니다. 요한과 야고보는 아버지가 배 한 척을 갖고 있어서 먹고살 만했습니다. 그러나 예수님이 부르시니까 깁던 그물을 버려두고 예수님을 따라갔습니다.

팔로어는 자기 것을 버리고 떠나는 사람입니다.

나는 요즘 트위터를 하는데 팔로어 수가 17만 명이 넘었습니다. 하지만 그들은 내가 올린 글이 마음에 안 들면 즉시 돌아서서 언팔로어^{unfollower}가 됩니다. 자기 마음에 흡족한 글이 올라오면 팔로어가 됐다가 예수님, 하나님 소리만 나오면 바로 언팔로어가 됩니다. 하루에 언팔로어 수가 수백 명에 이를 때도 있습니다. 도대체 이 팔로어의 정체는 무엇일까, 혼자서 실소할 때가 있습니다.

팔로어보다 충성심에서 한 차원 더 높은 사람들을 팬^{fan}이라고 부릅니다. 팬들은 유명 스타를 기를 쓰고 쫓아다닙니다. 왜 그렇습니까? 나를 만족시키니까 그렇습니다. 내 호기심을 만족시키고 내 기호를 만족시키고 내 성향과 부합하니까 열심히 쫓아다닙니다. 그런데 이것들이 충족되지 못할 때 팬은 순식간에 안티 세력으로 돌변합니다. 그 누구보다 심한 돌팔매질을 하는 사람이 됩니다.

하지만 예수님을 쫓는 팔로어는 그런 존재가 아닙니다. 내가 가진 것, 내가 누리는 것을 버려두고 예수님을 따르는 사람입니다.

누구를 따르고 있는가?

예수님이 "나를 따르라"고 부르시는 소리가 들릴 때가 있습니다. 대개 내가 더 이상 의지할 곳이 없어서 간절히 그분을 찾을 때입니다. 병에 걸려서, 부도가 나서, 회사에서 쫓겨나서 살려 달라고 예수님을 찾을 때 예수님이 "나를 따르라"고 부르십니다. 그러므로 병에 걸린 것이 축복입니다. 부도가 난 것이 축복입니다. 하나님을 만날 수만 있다면 고난이 축복입니다.

배우 이광기 씨는 네 살 난 아들 석규를 잃고 나서 하나님을 만났습니다. 그 전에도 교회에 나가긴 했지만 예수님을 깊이 만나지는 못했던 것 같습니다. 그는 아들을 잃고 나서 어떻게 이럴 수가 있느냐고 하나님께 원망하고 대들고 따지다가 어느 날 베란다에 나가 섰는데 "내가 너를 사랑한다. 내가 그래도 너를 사랑한다"는 하나님의 음성을 들었습니다. 이후 그의 삶은 완전히 바뀌었습니다. 지진으로 어려워진 아이티 현장에 다녀와서 "하나님이 이 아이들을 내게 주셨다"면서 아이티 아이들을 돌보기 시작했습니다. 아이티 아이들의 모습 속에서 석규를 발견한 것입니다. 그와 몇몇 연예인들이 힘을 합쳐 얼마 전에 심장병을 앓는 아이티 아이들 10명을 한국으로 초청해 수술을 받게 해주었습니다. 아이들과 그들의 부모는 한국에 머무는 동안 모두 세례를 받기도 했습니다. 하나님을 만난 사람은 이렇게 달라집니다.

예수님이 "나를 따르라"고 부르실 때 단호하게 결단하고 따라가기를 바랍니다. 가진 걸 주렁주렁 들고 가면 멀리 못 따라갑니다. 금세 주저앉아 돌아갈 길을 바라보게 됩니다. 모두 버리고 따라가기로 결단해야 합니다. 그러나 오늘날 크리스천들이 더 많이 달라, 짐을 더 무겁게 해달라며 그분을 따르겠다고 하니 참으로 답답한 노릇입니다.

여행 가방을 보면 그 사람이 자주 여행을 떠나는 사람인지 아닌지를 알 수 있습니다. 자주 여행을 떠나는 사람은 가방이 가볍습니다. 그러나 처음 여행을 떠나는 사람은 챙길 게 많아서 가방이 무겁습니다. 예수님을 따르는 사람은 짐이 무거워서는 안 됩니다.

그런데 내가 가진 것을 모두 버리고 따라나섰어도 조금도 두려워할 것이 없습니다. 내가 따르는 그분은 진리요 생명이기 때문입니다. 그분을 따르면 생명이 있는 길, 진리의 길을 걷게 됩니다.

성악가 김호중 씨는 성악을 하기 전 돈에 팔려서 폭력 조직에 들어갔다가 빠져나오느라 엄청 애를 먹었다고 합니다. 얼마나 얻어맞았는지 사흘 동안 의식불명 상태로 누워 있었다고 합니다. 그들이 처음에 "나를 따르라" 할 때는 옷도 주고 먹을 것도 주고 돈도 주고 하면서 얼마나 잘해 주는지 모릅니다. 그러다 발을 깊숙이 들여 놓는 순간 인생을 파멸로 이끕니다. 마지막엔 생명을 요구하지요. 정말 무서운 조직입니다. 내가 따라나선 사람이 생명으로 이끄는지 사망으로 이끄는지 분별해야 합니다.

"도둑이 오는 것은 도둑질하고 죽이고 멸망시키려는 것뿐이요 내가 온 것은 양으로 생명을 얻게 하고 더 풍성히 얻게 하려는 것이라"요 10:10

"나보다 먼저 온 자는 다 절도요 강도니" 요 10:8

예수님은 나 외에 자기를 따르라고 하는 자는 절도요 강도라고 했습니다. 그리고 그들은 우리를 죽이고 멸망시키려는 의도밖에 없다고 했습니다. 이것을 아는 것이 매우 중요합니다.

만일 예수님의 말씀을 믿지 못하겠다면 예수님이 가짜이거나 예수님을 가짜라고 하는 사람들이 가짜일 것입니다. 만일 예수님이 가짜라면 그는 사기꾼이거나 정신병자일 것입니다. 과연 그렇습니까?

예수님은 사기꾼이 아닙니다. 사기꾼이라면 자기 목숨을 그렇게 쉽게 내놓을 수 없습니다. 또 예수님은 십자가에 달리셔서 득본 게 하나도 없습니다. 그분은 공중의 새들도 갖고 있는 집 하나가 없어서 떠돌아다니셨습니다. 예수님은 이 땅에 33년간 사시면서 사람들에게 사기를 치거나 해서 무언가를 챙긴 것이 하나도 없습니다. 그러니 그분은 사기꾼이 아닙니다.

예수님은 정신병자는 더더욱 아닙니다. 예수님이 말씀하신 내용을 보면 처음부터 끝까지 일관된 주장을 하셨습니다. 오락가락한 말씀도 없고 앞뒤가 안 맞는 내용도 없습니다. 시종일관 예루살렘에 가면 대제사장과 바리새인들이 나를 핍박할 것이다, 고난을 받고 죽을 것이다, 3일 만에 부활할 것이다 말씀하셨습니다. 그리고 예수님이 말씀하신 대로 이루어졌습니다. 절대 정신병자가 아니었습니다.

사기꾼도 아니고 정신병자도 아닌데 예수님이 가짜입니까? 예수님은 진짜입니다. 그런데도 예수님이 아닌 다른 사람을 좇겠습니까?

사람들은 권력가와 재력가를 좇습니다. 그것도 충성을 다해 좇습니다. 그들을 대신해 감옥에 갈 각오로 좇습니다. 물론 먹고살 일은 보장을 받지요. 그러니까 권력가와 재력가를 목숨을 바쳐 좇는 이유는 돈 때문인 것입니다. 만일 감옥까지 가줬는데 먹고살 돈을 주지 않으면 그때부터 전쟁이 납니다. 어제까지 충실한 개로 살다가 오늘은 그들을 죽이려 드는 저격수가 되는 것이지요.

예수님은 자기를 따르면 먹고살 것을 책임져 주겠다고 하지 않으십니다. 오히려 자기 십자가를 지고 따르라고 하십니다. 자기를 죽이고 따르라고 하십니다. 이것이 예수님이 세상과 다른 점입니다. 그러므로 우리는 이 점을 분명히 알고 그분을 따라야 합니다.

주변 사람들이 교회를 가니까, 교회 가면 밥도 주고 사람들도 사귈 수 있으니까, 그 교회 다니면 사람들이 우리 가게에 와서 물건을 사줄 것 같으니까 따라가면 곤란합니다. 성경에서 예수님을 누구라고 가르치는지, 또 예수님을 따라가면 어떻게 되는지 알아보고 예수님을 따라나설 것인가 말 것인가를 심각하게 고민해야 합니다. 그리고 따라나서더라도 최대한 짐을 가볍게 해서 따라가야 합니다.

예수님은 따르는 사람이 너무 많아지니까 갑자기 메시지를 바꾸셨습니다. 기적도 끊어 버리셨습니다. 오병이어의 기적을 베푸신 이후 사람들이 벌 떼처럼 모여드니까 예수님은 한적한 곳으로 피하셨습니다. 군중은 부르지도 않았는데 따라왔습니다. 거기 가면 먹을 것이 생긴다

더라, 병을 고쳐 준다더라 해서 쫓아왔습니다.

　예수님은 너무 많은 사람들이 모여드니까 나중에는 이렇게 설교
하셨습니다.

　"인자의 살을 먹지 아니하고 인자의 피를 마시지 아니하면 너희 속

　에 생명이 없느니라… 내 살을 먹고 내 피를 마시는 자는 내 안에 거

　하고 나도 그의 안에 거하나니"요 6:53-56

　사람들은 예수님의 말씀을 못 알아들었습니다. 그리고 '우리더러
식인종이 되라는 얘긴가?' 하며 마음이 불편해져서 예수님을 떠났습니
다. 그러자 예수님이 제자들에게 "너희들도 가겠느냐?"고 묻습니다. 이
때 베드로가 "주여 영생의 말씀이 주께 있사오니 우리가 누구에게로 가
오리이까" 하고 대답합니다. 계속 따르겠다는 고백입니다.

　예수님은 따르는 자에게 물질을 주겠다, 명예를 주겠다 약속하시
지 않았습니다. 다만 나를 주겠다, 나를 마시고 먹으라고 하셨습니다. 살
과 피는 생명입니다. 따라서 예수님이 우리에게 주겠다고 하신 것은 생
명입니다. 그것도 영원한 생명eternal life입니다. 우리는 예수님이 뭘 주겠
다고 하셨는지, 그 의도가 뭔지 정확히 알고 따라가야 합니다. 우리가 예
수님을 따르는 목적은 생명을 얻기 위함입니다.

　그런데 예수님은 영원한 생명을 얻으려면 육신을 미워해야 한다
고 말씀하십니다. 심지어 육이 죽어야 영이 산다고 말씀하십니다. 살리

245

는 것은 영이므로 육은 무익하다고 말씀하십니다. 아침저녁으로 깨끗하게 씻고 화장으로 치장하는 이 육으로는 하나님 나라에 갈 수 없다는 것입니다.

예수님이 주겠다는 영원한 생명 하나 받으러 좇아가면 될 것을 우리는 그것에는 관심이 없고 예수님이 주겠다고 약속하지 않은 것에만 정신 팔려 있습니다. 그렇다면 진짜 길과 전혀 상관없는 길을 좇고 있는 것입니다. 대단히 잘못된 길을 가고 있는 것입니다. 예수님이 "나를 따르라" 해서 나는 팔로어라고 생각했는데 알고 보니 나는 그냥 팬에 불과한 겁니다. 나를 만족시켜 주는 말씀에는 승복하지만 나를 곤혹스럽게 하는 말씀에는 모른 척하고 심지어 공격까지 한다면 그는 팬입니다.

리더가 아니라 팔로어가 돼라

팔로어는 다른 말로 제자입니다. 제자는 자기를 기준 삼지 않습니다. 자기가 따르는 그분을 기준 삼습니다. 모델은 자신이 아니라 디자이너가 기준입니다. 모델은 디자이너가 만든 옷을 입기 위해 자기 몸을 만듭니다. 어떤 옷을 걸쳐도 소화할 수 있는 몸매를 만들기 위해 먹고 싶은 것도 마음대로 먹지 못합니다.

마찬가지로 제자는 예수님을 기준 삼습니다. 그래서 제자는 그분의 뜻, 그분의 의도를 아는 것이 중요합니다. 크리스천은 예수님을 기준 삼아야 합니다. 크리스천은 모두 예수님의 제자로서 살아야 하는 것입니다.

나는 예수님을 기준 삼는 제자로 살자고 결심한 뒤 세상적으로는 더 손해를 보았습니다. 비서도 없어지고 기사도 없어지고 연봉도 턱없이 줄었습니다. 하지만 대신에 비교할 수 없이 큰 기쁨과 절대 빼앗길 수 없는 평강과 상상도 못한 비전을 갖게 되었습니다. 모두 눈으로 볼 수 없지만 눈에 보이는 것과는 비교도 안 되는 것들입니다. 그래서 그분을 따르는 일은 믿음으로밖에 할 수 없습니다. 믿음은 안 보이지만 보이는 것처럼 사는 것입니다. 이를 코람데오 Coram Deo 라고 하지요. 현존하시는 하나님, 지금 내 옆에, 바로 이 자리에 예수님이 계신 것처럼 사는 것입니다.

눈에 보이지 않지만 내 옆에 계신 것처럼 예수님과 함께 살았더니 이제는 정말 살아 계신 하나님이 순간순간 느껴집니다. 그분이 나와 함께하시는 것이 느껴지니까 매 순간이 즐겁습니다. 외로움 같은 우울한 기분과는 자연스럽게 멀어집니다. 인간은 아내가 있어도 남편이 있어도 외로운 존재입니다. 그러나 나보다 나를 더 잘 아시는 그분, 나를 만드시고 나와 함께하시는 그분을 매 순간 느끼면 외롭지 않습니다. 오히려 즐겁습니다. 그분과 단둘이 만나는 시간이 사람들을 만나는 것보다 훨씬 즐겁습니다.

이처럼 리더가 되는 일보다 누구의 팔로어가 되느냐가 더 중요합니다. 인간은 누구도 리더가 될 수 없습니다. 내가 누군가를 열심히 따라가면 또 누군가는 그런 나를 모델 삼아 팔로어로 따라올 뿐이지요. 우리는 그런 사람을 리더라고 부릅니다. 그래서 리더십보다 팔로어십이 훨씬 더 중요합니다. 팔로어가 되지 못하면 리더도 될 수 없습니다. 제대로 된 팔로어가 아니면 진정한 리더가 될 수 없습니다. 내가 그동안 수많은 리더들을 만났지만 깨닫게 된 것은 예수님을 제대로 따르는 사람만이 진정한 리더가 될 수 있다는 것입니다.

우리는 예수님을 따라나서야 합니다. 아이들도 리더가 아니라 '예수 팔로어'Jesus follower로 키워야 합니다. 제대로 된 사람을 따라가는 것부터 배우지 않으면 리더십이 바로 설 수 없습니다.

나의 아들들은 과외를 많이 했습니다. 또래 친구들보다 많이 하는 편이었습니다. 그 과외가 아이들에게 얼마나 도움이 됐을까요? 솔직한 고백은 도움이 아니라 오히려 해가 됐을 뿐입니다. 지금 아이들이 잘됐을까요? 네, 잘됐습니다. 아이들이 아빠인 나를 존경하기 때문입니다. 내가 옛날처럼 술 마시고 다녔다면 아이들이 나를 존경했을까요? 아닙니다. 아이들은 내가 예수님의 팔로어로 따라나서는 걸 보고 한 가지를 배웠다고 합니다. 믿는 바를 위해 모든 것을 버릴 수 있는 결단과 믿는 바대로 사는 용기입니다. 그래서 우리 아이들이 아빠를 존경할 수 있는 것입니다. 저는 이제 자녀들이 '예수 팔로어'로 자라는 것이 가장 잘되는 길이라고 믿게 되었습니다.

그러나 분명한 것은 우리가 자녀들보다 먼저 예수님의 팔로어가 되어야 한다는 사실입니다. 내 아들들도 목사인 나를 따라오면 안 됩니다. 사람을 따르면 결과는 배신하든지 배신당하든지 실망하든지 중 하나입니다. 절대로 사람을 따르면 안 됩니다. 자녀들도 부모를 따르게 해선 안 됩니다. 부모가 자녀를 천년만년 돌봐줄 수 없기 때문입니다. 그들이 예수님을 잘 따르도록 도와주어야 합니다.

우리는 성경을 통해 예수님을 만나고 예수님과 교제해야 합니다. 그러다 보면 어느 순간 내 안에 예수님이 살아 계시는 것을 깨닫게 됩니다. 그러면 크리스천이 된 것입니다.

그러므로 오늘, 이 순간, 사람이 아니라 예수님을 따르기로 결단하십시오. 사람을 따라가면 어느 날 상처받고 배신당하게 마련입니다. 그러나 예수님을 따르면 배신당할 일이 없습니다. 실망할 일이 없습니다. 상처받을 일이 없습니다. 그분은 우리에게 이런 약속을 주셨습니다.

"내가 너희를 위하여 거처를 예비하러 가노니 가서 너희를 위하여
거처를 예비하면 내가 다시 와서 너희를 내게로 영접하여 나 있는
곳에 너희도 있게 하리라"요 14:2-3

나는 예수님이 마지막에 하신 이 약속을 믿습니다. 또 "무릇 살아서 나를 믿는 자는 영원히 죽지 아니하리니"요 11:26 하신 약속도 믿습니다. 이 약속을 믿기에 나는 죽음으로부터 자유해졌고 죽음이 기대됩니다.

어떤 사람은 우리가 죽어서 천국에 갈지 안 갈지는 50대 50인데 확률로 따져도 믿는 게 낫다고 말합니다. 또 어떤 사람은 목사인 나의 인격을 믿으니까 내 말을 믿고 예수님을 따라 보겠다고 말합니다. 어떤 동기

로 예수님을 따르기로 결단하건 믿음 안으로 점점 걸어 들어가면 놀랍고도 경이로운 예수님이 우리를 맞이하십니다. 그리고 이해할 수도 없고 용납할 수도 없는 인생의 부조리가 이해되고 용납됩니다. 그동안 살면서 배배 꼬였던 인생의 문제들이 가닥가닥 풀리기 시작합니다. 이것이 예수님을 따라갈 때 우리가 겪게 되는 놀라운 축복입니다.

다시 한 번 묻습니다. 여러분은 지금 누구를 따라가고 있습니까? 세상을 따르지도 말고 사람을 따르지도 말고 예수님을 따르십시오. 그분을 따르기로 결단하십시오. 그분이 우리를 진리로, 생명으로 인도하십니다. 평안으로, 기쁨으로 인도하십니다. 눈에 보이지 않지만 무한대의 값어치를 가진 것들을 소유하게 하십니다.

WHY
JESUS

11강

THE CROSS
십자가

세상을 이기는 유일한 비밀병기

크리스천은 '예수밖에는 다른 길이 없구나, 다른 답이 없구나'를 고백하는 사람들입니다. 그러나 세상은 '왜 예수인가?'에 반기를 들고 오히려 교회에 대한 비판을 빌미 삼아 예수를 공격합니다. 교회는 지금 세상으로부터 비난의 대상이 되었습니다. 심지어 조롱거리가 되었습니다. 지난 2천 년간 부흥의 길을 걷던 교회가 왜 지금과 같은 쇠락의 길을 걷게 되었을까요?

기독교는 십자가가 중심이고 본질입니다. 십자가 없는 능력, 십자가 없는 기적은 위험합니다. 십자가 없는 믿음은 크리스천의 믿음이라고 할 수 없습니다. 지금 기독교가 위기에 빠진 것은 교회 안에 십자가가 사라졌기 때문입니다. 물론 교회 건물마다 십자가가 건물 옥상에, 첨탑 위에 그리고 예배당 안에 높이 세워져 있습니다. 그러나 우리 몸에 져야 할 십자가를 지고 가는 사람을 찾기란 쉽지 않습니다. 나부터 나에게 묻습니다. '내가 지고 있는 십자가가 있기는 한가?'

십자가는 하나님의 지혜다

세상에서 불신자는 없습니다. 모든 사람들에겐 어떤 형태로든 믿음이 있습니다. 내 마음대로 살겠다, 이것도 믿음입니다. 돈만 있으면 된다, 이것도 믿음입니다. 사실 오늘날 대부분의 사람들이 이 믿음으로 살고 있습니다.

가령 누구나 알 만한 회사에서 고액의 연봉을 약속하며 스카우트 제의가 들어왔다고 합시다. 그런데 여러분이 단호하게 "갈 수 없습니다"라고 대답했다면 스카우트 담당자는 이렇게 물을 것입니다. "연봉이 얼마면 되겠습니까?" 여러분이 왜 직장을 옮기지 않겠다는 건지, 여러분이 어떤 신념으로 일하고 있는지는 묻지 않습니다. 돈을 더 주겠다는데 여러분이 안 올 수 있겠냐는 식이에요. 실제로 거액의 연봉 앞에서 우리의 신념과 목표가 흔들립니다. 돈이 곧 힘이고 돈이 곧 질서가 된 세상에서 살고 있기 때문입니다.

이런 세상에서 믿음을 신념으로 삼고 살기는 참 힘듭니다. 믿음의 공동체로서 교회가 바로 서기가 참 힘듭니다. 그래서 누군가 내게 이렇게 말했을 때 그 심정이 이해되었습니다.

"저는 직장에서 25년간 정말 피투성이가 되도록 일했습니다. 그런데 지금 와서 보니 목사로 사는 게 정말 쉽겠다 싶습니다. 믿음대로 설교하고 믿음대로 살면 그만이지 않습니까? 교회에서 복음을 선포하고 교회 안에서 복음대로 산다고 누가 핍박을 하겠습니까?"

예수를 거부하는 세상에서 예수를 드러내며 살기가 참 힘든 것입니다. 그래서 다 교회로 피난옵니다. 또 실제로 교회는 피신처이자 은신처입니다. 그러나 이 시대의 교회가 사람들을 세상으로 밀어내지 않으면 교회도 점점 어려움을 겪게 되고 세상도 점점 소망을 잃게 됩니다.

주님은 '교회를 이처럼 사랑하셔서' 세상을 준 것이 아닙니다. '세상을 이처럼 사랑하셔서' 교회를 주셨습니다. 우리는 '나를 이처럼 사랑해서' 교회를 주신 줄 알지만 교회를 이처럼 사랑하셔서 우리를 부르셨습니다. 그러나 지금 우리가 눈으로 보고 있는 이 교회보다 하나님의 교회가 되어야 할 이 세상을 더 사랑하셔서 제도와 건물로서의 교회를 흩으십니다. 교회가 세상 가운데 흩어져서 흔적도 없이 사라지기를 원하셔서 교회를 핍박받게 하십니다. 예수님은 그렇게 흩어진 교회의 이름이 '빛과 소금'이라고 말씀해 주십니다. 또 한 알의 밀이 떨어져 썩어서 밀알의 형체가 사라져야 많은 열매를 얻는다고 가르쳐 주십니다. 그리고 예수님은 이런 교회 공동체를 원하셔서 십자가를 택하셨습니다. 이를 바울은 '하나님의 지혜'라고 말했습니다.

어떻게 십자가가 지혜일 수 있습니까? 십자가에 못 박혀 죽는 게 가장 끔찍한 형벌이고 가장 저주스러운 일이고 가장 무력하고 무능한 일인데 그게 하나님의 지혜라니요? 이 말을 이해할 수 있는 사람은 없습니다. 이 말을 이해했다면 그것은 우리 자신이 아니라 우리 안에 계신 성령님이 이해하도록 해주신 것입니다. 내 이성과 지성과 경험으로는 동의할 수 없는 사건이죠.

우리나라처럼 신학교가 번성하는 나라도 없습니다. 왜 그렇습니까? 신학을 공부해서 목사가 되겠다는 사람이 많기 때문입니다. 그런데 만일 목사가 되고 3년 후에 실제로 예수님처럼 모두 광화문 사거리에 세워진 나무 십자가에서 못 박혀 죽어야 한다면 과연 신학교가 지금처럼 번성할 수 있을까요? 목사가 되겠다는 사람이 많겠습니까? 목사로서 사는 일이 힘들고 어렵다면 과연 누가 목사가 되려 할까요? 목사 안수 받을 때 나 자신에게도 물었습니다. "너 십자가에 못 박혀 죽는다고 해도 목사가 될래?" 잠시 고개를 떨굴 수밖에 없는 질문입니다. 그런데도 오늘날 목사가 되려는 사람이 많은 것은 세상보다 그 길이 쉽기 때문입니다. 신학교 가는 것이 자기 전공 분야에서 죽을 만큼 경쟁하는 것보다 쉽다는 말입니다. 그러므로 자녀가 신학교에 가겠다고 하면 극렬하게 말리십시오. 부모가 두 팔 걷어붙이고 말리는데도 신학교에 가겠다고 한다면 그 자녀는 진짜입니다. 하지만 도시락 싸들고 말렸더니 그만두겠다고 한다면 잘 그만둔 것입니다. 한번 상상해 보십시오. 내 아이가 십자가에 못 박혀 죽는 걸 그려 보시고 그래도 좋다면 신학교에 보내십시오.

우리는 성경책을 어디서든 언제든지 손에 넣을 수 있습니다. 그래서 과거 크리스천들보다 훨씬 더 성경을 많이 읽고 많이 압니다. 또 어디를 가든 교회에 가서 예배드릴 수 있고 말씀 들을 수 있습니다. 그런데도 교회가 힘을 잃은 이유는 십자가를 놓쳤기 때문입니다. 교회마다 본당과 첨탑에 세워진 그 십자가가 능력을 잃었습니다. 교회의 중심에, 또 내 삶의 중심에 십자가가 없기 때문에 성도와 성도, 교회와 교회, 교단과 교단, 교파와 교파가 서로 갈등합니다. 내가 십자가에 매달려 죽었다면 어떻게 살아서 싸웁니까? 시체끼리 무슨 다툼이 있습니까? 따라서 우리가 돌이켜 찾아야 할 교회의 본질은 십자가입니다. 우리가 돌아갈 곳은 십자가입니다.

예수님의 고통

십자가 없이도 선교할 수 있고 전도할 수 있고 헌신할 수 있습니다. 십자가 없이도 헌금할 수 있고 말씀을 보고 들을 수 있습니다. 그러나 십자가 없는 이 모든 것은 헛것입니다. 교회를 다녀도 여전히 자기중심적인 생각과 나 중심의 사고를 벗어던지지 못한다면 교회는 허상일 뿐입니다.

교회는 십자가가 시작이고 출발이고 과정이고 전부입니다. 교회는 제도도 아니고 교단도 아니고 교파도 아니고 건물도 아닙니다. 교회는 곧 십자가입니다. 그러므로 십자가를 목에 걸지 말고 등에 걸머지십시오. 예수님도 십자가를 등에 지고 나를 따르라고 하셨지 목에 걸라고 하지 않으셨습니다. 그리고 십자가를 목에 걸고는 싸울 수 있지만 등에 지면 무거워서 싸우지 못합니다. 예수님이 이 땅에 오신 목적도 십자가를 지시기 위해서였습니다. 예수님이 공생애를 시작하면서 처음 외친 말씀은 "회개하라 천국이 가까웠다"이지만 시간이 지날수록 십자가를 가르치셨습니다.

> "인자가 온 것은 섬김을 받으려 함이 아니라 도리어 섬기려 하고 자
> 기 목숨을 많은 사람의 대속물로 주려 함이니라"마 20:28

예수님은 분명하고 또렷하게 자신이 온 목적이 십자가를 지기 위함이라고 말씀하셨습니다. 예수님은 왜 십자가라는 방법을 통해서 우리에게 구원이라는 선물을 베푸셔야 했을까요? 정말 다른 방법은 없었을까요?

예수님은 십자가를 지실 것과 사흘 만에 부활하실 것을 제자들에게 가르치신 뒤 겟세마네 동산에 올라 땀을 흘리며 기도하셨습니다.

> "내 아버지여 만일 할 만하시거든 이 잔을 내게서 지나가게 하옵소
> 서"마 26:39

나는 처음에 예수님의 이 같은 모습을 이해할 수 없었습니다. 전부터 십자가 사건을 예고하시고는 십자가에 달리기 하루 전에 십자가를

피하게 해달라고 기도하시니 앞뒤가 안 맞다고 생각한 까닭입니다. 애초에 몰랐다가 나중에 알게 돼서 이런 기도를 해야 앞뒤가 맞는 것 아닙니까? 나는 이런 의문들에 대해 정직해야 신앙이 성장한다고 생각합니다. 크리스천은 지성적인 기초 위에서 초이성적인 신앙을 결단하는 사람입니다. 기독교는 지성의 바탕이 전혀 없는 무지막지한 종교가 아닙니다. 아무튼 예수님은 십자가를 지시기 전날 밤 땀이 피가 되도록 이 문제를 놓고 씨름하셨습니다. 예수님이 몇 번을 제자들을 찾아가 깨어 기도하라 했지만 그들은 피곤을 이기지 못해 꾸벅꾸벅 졸았습니다.

예수님은 마침내 "그러나 나의 원대로 마시옵고 아버지의 원대로 하옵소서"마 26:39라고 결단하십니다. 그런데 한 가지 이상한 점이 있습니다. 그날 밤 예수님이 그토록 간절하게 기도하시는데도 하나님의 대답이 없는 것입니다. 예수님이 세례 받을 때 하늘로부터 "이는 내 사랑하는 아들이요 내 기뻐하는 자라"마 3:17는 소리가 들렸습니다. 변화산에서도 음성이 들렸습니다. 그런데 이렇게 절박한 순간에 아버지는 침묵하셨습니다. 십자가를 지는 것이 내 뜻이라고 분명하게 목소리를 들려주시지 않았습니다. 이유가 무엇일까요?

예수님이 그날 밤 그토록 간절하게 기도한 것은 십자가가 하나님의 뜻인 줄 몰라서가 아닙니다. 십자가는 이미 각오한 일이었습니다. 그렇다면 예수님은 왜 그토록 땀이 핏방울이 되도록 간절히 기도하신 걸까요? 두려웠기 때문입니다. 무엇이 두려웠을까요? 죽음이 두려웠을까요? 아닙니다. 예수님은 아버지와 관계가 완전히 끊어지는 것이 두려웠습니다. 단 한 순간도 아버지와 단절된 적이 없던 예수님입니다. 예수님은 본래 하나님이기에 관계가 끊어질 수 없습니다. 그러나 십자가를 지는 순간 그런 단절을 경험해야 합니다. 하나님과 단절되는 고통이 얼마나 컸으면 예수님은 이렇게 절박하게 기도한단 말입니까? 그리고 그 고통이 어떻게 인간을 회복한단 말입니까?

사랑하기에 맺는 계약

놀랍게도 인간 회복은 구약시대부터 약속된 것입니다. 아담이 선과 악을 알게 하는 나무의 과실을 먹으면 정녕 죽으리라는 경고를 무시하고 선악과를 먹었을 때부터 하나님이 약속하신 것입니다.

"여자의 후손은 네 머리를 상하게 할 것이요 너는 그의 발꿈치를 상하게 할 것이니라"창 3:15

아담이 에덴동산에서 쫓겨난 뒤 인류는 노아를 거쳐 아브라함에 이르러 하나님과 계약을 맺습니다. 당시 고대 근동에서는 계약을 맺을 때 짐승을 쪼개어 계약자들이 손잡고 그 사이를 지나가는 풍습이 있었습니다. 둘 중 하나가 계약을 파기하면 짐승이 쪼개진 것과 같이 죽음을 맞이할 것이라는 강력한 경고가 담긴 행위였습니다. 그런데 하나님과 아브라함 사이의 언약은 하나님이 일방적으로 쪼갠 짐승 사이를 지나가는 것으로 끝이 납니다.

> "해 질 때에 아브람에게 깊은 잠이 임하고 큰 흑암과 두려움이 그에게 임하였더니… 해가 져서 어두울 때에 연기 나는 화로가 보이며 타는 횃불이 쪼갠 고기 사이로 지나더라 그날에 여호와께서 아브람과 더불어 언약을 세워"^{창 15:12-18}

"횃불이 쪼갠 고기 사이로" 지나감으로써 언약이 성사된 것입니다. 그동안 아브라함은 무엇을 했습니까? "깊은 잠이 임하"였다고 했습니다. 아브라함이 꾸벅꾸벅 졸았다는 의미입니다. 인간과 하나님 사이의 약속은 이렇게 일방적입니다. 인간은 약속을 지킬 능력이 없기 때문입니다. 부부가 결혼식을 올리며 "검은 머리 파뿌리 될 때까지 서로 사랑하겠다"고 약속하지만 그게 얼마나 갑니까? 우리는 약속을 지킬 능력이 없습니다. 부모가 아이들과 수도 없이 약속하지만 부모나 아이나 약속한 사실조차 잊어버릴 때가 많습니다. 내가 25년간 언론인으로 살면서 한 가지 분명하게 깨달은 것이 있다면 인간은 진실하지 않다는 것입니다. 어떤 형태로건 불려서 이야기하거나 줄여서 말합니다. 인간은 진실을 말할 수 있는 존재도 아니고 진실을 전달할 수 있는 존재도 아니며 진실을 지킬 수 있는 존재도 아닙니다. 알다시피 말을 전하다 보면 코끼리가 사자가 되어 있고 사자가 독수리가 되어 있는 걸 자주 봅니다.

인간이 약속을 지킬 능력이 없기 때문에 하나님은 일방적으로 약속하십니다. 하나님은 우리가 약속을 지키지 못하리라는 걸 잘 아십니다. 우리는 약속을 어기므로 늘 죄를 짓지만 하나님은 용서하십니다. 이것을 우리가 착각하면 안 됩니다. 우리가 이렇게 살아 있는 이유는 거짓말을 안 하기 때문이 아니라 용서받았기 때문입니다. 크리스천이 비크리스천보다 낫기 때문에 하나님을 믿는 게 아니라 불신자가 하나님을 거부했기 때문에 크리스천으로 살아가지 못하는 것입니다. 본질은 똑같습니다. 그래서 우리가 비크리스천을 폄하하거나 오해하거나 나무라서는 안 되는 것입니다.

오늘날 크리스천들의 문제는 자기 자신을 너무 모른다는 데 있습니다. 크리스천들은 자신이 정직한 줄 압니다. 또 자신이 관대한 줄 압니다. 그러나 절대 정직하지도 관대하지도 않습니다. 오히려 신앙을 앞세워 우리는 세상 사람들보다 훨씬 더 교만할 수 있습니다. 세상 사람들이 크리스천에 대해 오해하고 편견에 사로잡혀 있다고 말하지만 사실 그 반대의 경우가 훨씬 더 많습니다. 우리는 정말이지 하나님이 필요한 사람들입니다. 하나님의 용서가 필요한 사람들입니다. 우리의 본질을 알아 갈수록, 그래서 우리의 본질이 바뀔 수 없다는 것 때문에 십자가가 필요한 것입니다.

북한의 2인자로 알려진 장성택이 처형당하는 장면이 TV를 통해 보도된 적이 있습니다. 김정은은 이 2인자의 처형을 합리화하기 위해 북한 언론을 통해 그를 폄하하고 왜곡함으로써 마땅히 처형되어야 할 사람으로 매도했습니다. 장성택의 처형과 함께 소위 장성택 무리도 무더기로 숙청되었습니다. 그렇다면 이 사건의 칼자루를 쥔 김정은 일당이 의로운가요, 숙청된 장성택 일당이 의로운가요? 알다시피 누구도 의롭지 않습니다. 북한 사회는 어느 쪽에 서나 의로울 수 없는 사회입니다.

그렇다면 한국 사회는 어떻습니까? 북한 사회와 크게 다르지 않습니다. 북한과 같이 피비린내 나는 공포 상황은 아니지만 여야가, 혹은 보수와 진보가, 노와 사가 한 치의 양보 없이 대립하고 갈등하고 있습니다. 이중 한쪽은 의롭고 다른 한쪽은 의롭지 않다고 말할 수 있습니까? 어느 쪽도 의롭지 않기는 마찬가지입니다.

마찬가지로 크리스천이나 비크리스천이나 어느 쪽도 의롭지 않습니다. 크리스천은 인간이 절대로 해결할 수 없는 죄의 문제를 예수님이 해결했다는 사실을 믿는 사람들이고, 비크리스천은 그 사실을 거부한 사람들일 뿐입니다. 그러므로 크리스천은 자기가 의로운 줄로, 비크리스천보다 더 도덕적인 사람인 줄로 착각해선 안 됩니다. 우리는 그저 죄인일 뿐입니다. 세상 사람들을 판단하고 비난할 자격이 없습니다. 하나님이 일방적으로 언약을 이행한 이유를 이제 이해하시겠습니까?

아브라함은 약속을 이행할 능력이 없는 사람입니다. 그러므로 그가 약속을 이행하지 못함으로써 죽임을 당하는 불행을 미연에 방지하기 위해 하나님 혼자 일방적으로 계약을 성사시킨 것입니다. 그리고 그 약속은 2천 년 뒤 하나님 자신이 죽는 것으로 지켜졌습니다.

먼저 하나님 나라를 구하라

이런 예화가 있습니다. 어느 날 법관이 피고인에게 "왜 교통 법규를 위반했소? 크든 작든 차에 손상을 입혔으면 배상을 할 일이지 왜 뺑소니를 친 거요?" 하면서 벌금 200불을 판결했습니다. 판사는 그렇게 선고하고는 주섬주섬 법복을 벗고 내려와서 200불을 냈다고 합니다. 알고보니 판사는 피고의 아버지였던 것입니다. 부모가 자식의 책임을 대신진 것입니다. 이럴 때 우리는 죄를 심판함으로써 정의가 실현되었다고말합니다. 그리고 이를 통해 아버지의 자식에 대한 사랑도 실현되었습니다.

십자가란 하나님이 약속을 일방적으로 어긴 인간을 위해 일방적으로 벌금을 문 사건입니다. 사랑과 정의가 실현된 사건인 것입니다.

하나님의 사랑은 물렁물렁한 사랑이 아닙니다. "네가 무슨 짓을 하든 널 사랑하니, 내 아들이고 딸이니까 다 용서해 줄게" 하는 사랑이아닙니다. 어느 재벌 아버지처럼 아들이 무슨 망나니짓을 해도 덮어 주고 감싸 주기 바쁘고 아들을 대신해 조폭을 풀어서 보복해 주는 그런 사랑이 절대 아닙니다.

하나님의 사랑은 우리가 지은 죄를 대신 짊어져서 죄를 심판하시는 사랑입니다. 우리가 지은 죄가 너무 무거워서 스스로 감당하기 힘들때 하나님은 그냥 지나치지 않습니다. 그리고 십자가는 문제를 근본적으로 해결하는 하나님의 처방이라는 뜻에서 '하나님의 지혜'입니다. 그래서 기독교는 십자가를 떠나서는 어떤 것도 복음적이지 않습니다. 십자가가 곧 복음입니다. 십자가를 가볍게 여기면 하나님의 공의를 놓치게 됩니다. 하나님은 십자가를 통해 우리에 대한 사랑을 확증하셨을 뿐아니라 이 땅의 공의를 회복시키기 원하셨습니다. 우리가 앞으로 하나님의 방법으로 우리의 문제를 해결하라고 솔선해서 보여 주신 것입니다. 하나님은 말로만 훈계하는 아버지가 아닙니다. 그분은 몸소 실천하고 보여 줌으로써 훈계하는 아버지십니다.

예수님이 십자가를 지심으로 하나님의 공의와 사랑이 실현되었음을 믿음으로 받아들이는 순간 십자가는 우리 삶의 거룩한 기준이 됩니다. 십자가를 우리 신앙의 기준으로, 본질로 받아들이지 않으면 우리는 하나님의 능력과 선물만 기대하게 됩니다. 아버지는 줄 생각도 없는데 동상이몽을 하며 자꾸 요구만 하는 것입니다. 우리는 이것을 기복신앙이라고 부릅니다. 크리스천이 아니라 종교인이 되는 것입니다.

"그런즉 너희는 먼저 그의 나라와 그의 의를 구하라 그리하면 이 모든 것을 너희에게 더하시리라" 마 6:33

하나님은 먼저 하나님 나라를 구하라고 하셨습니다. 그러면 우리가 필요한 것들을 채우겠다고 하셨습니다. 어떻게 하나님 나라를 구합니까? 이렇게 부패하고 오염된 세상에서 어떻게 하나님 나라를 구합니까? 하나님의 나라가 이루어지고 하나님의 뜻이 이 땅 가운데 이루어지게 해달라는 기도를 진심으로 해야 합니다. 주기도문을 외우기만 하지 말고 이제는 주기도문대로 살겠다고 결단해야 합니다. 하나님의 나라가 이 땅 가운데 이루어지도록 하기 위해서 예수님은 십자가를 지고 나를 좇으라고 하십니다.

> "누구든지 나를 따라오려거든 자기를 부인하고 자기 십자가를 지고 나를 따를 것이니라"막 8:34

나를 부인하고 나의 십자가를 지는 것이 하나님 나라를 구하는 길입니다. 사도 바울이 고백했던 것처럼 날마다 내가 죽어야고전 15:31 하나님의 공의가 이루어집니다. 내가 죽어야 하나님의 사랑이 전해진다는 말입니다. 이게 우리에게는 패러독스이고 딜레마입니다.

교회는 우리가 십자가를 지러 오는 곳입니다. 십자가를 구경하러 오는 곳이 아닙니다. 구경할 생각이면 집에다 십자가를 걸어 두면 되지요. 교회는 십자가를 지신 예수님을 발견하는 곳이고, 그분을 만나서 내가 십자가를 져야 할 이유를 깨닫는 곳입니다. 그리고 그분과 함께 십자가를 질 때 오는 영광을 바라보는 곳입니다.

그래서 나는 교회가 부흥하는 것을 보면 의아할 때가 있습니다. 십자가를 지러 그렇게 많은 사람들이 교회에 오는 것이 신기하기 때문입니다. 어느 누구도 십자가를 지기 원하지 않는데 교회에는 사람들이 모여 듭니다. 신학교가 많아지고 신학생이 많아지는 것도 마찬가지로 기이한 현상입니다. 나는 사실 신학교가 줄었으면 좋겠습니다. 신학교를 졸업하고도 하나님의 일을 하지 못하는 전도사나 목사가 많습니다. 안타까운 일입니다.

이단은 십자가가 없습니다. 모든 걸 가르치지만 십자가 이야기는 안 합니다. 다만 하나님의 축복이 있을 거라고, 모두 잘될 거라고 미끼를 자꾸 던집니다. 그래서 성경 공부 모임이든 기도 모임이든 조심해야 합니다. 예언기도해 주는 용하다는 목사도 조심해야 합니다. 기도발 좋다는 사람도 조심하십시오. 내 귀를 즐겁게 해주면 좋은 기도이고, 내 귀에 쏙쏙 들어오면 좋은 성경 공부입니까? 아무리 내 귀를 즐겁게 해주는 기도고 성경 공부라도 거기에 십자가가 없으면 경계해야 합니다. 성경 전체를 통해서 십자가 하나만 붙들었다면 공부 끝난 겁니다. 성경을 몇 독 했다고 자랑하지 마십시오. 십자가 없는 성경 읽기가 무슨 대수입니까?

우리가 본질로 돌아가려면 십자가를 가슴에 품어야 합니다. 예수님은 "십자가를 지고 좇으라"고 말씀하시기 전에 더 알아듣기 쉬운 말씀을 하셨습니다.

> "내가 진실로 진실로 너희에게 이르노니 한 알의 밀이 땅에 떨어져
> 죽지 아니하면 한 알 그대로 있고 죽으면 많은 열매를 맺느니라"요
> 12:24

한 알의 밀이 땅에 떨어져 죽지 않으면 한 알 그대로 존재합니다.

십자가를 지는 것과 일맥상통하는 말씀입니다. 우리는 죽기 위해 존재한다는 것입니다. 죽으면 열매가 많이 맺힙니다. 이 말씀은 머리로는 알겠는데 우리 삶에서 나타나기는 어렵습니다. 가령 아내와 남편이 한 알의 밀로 죽으면 그 집안은 조용합니다. 아이들 울음소리, 웃음소리밖에 들리지 않습니다. 교회의 성도들이 모두 한 알의 밀로 떨어져 죽으면 교회에서 행하시는 하나님의 일이 나타납니다. 그러면 교회는 찬양하는 소리, 기도하는 소리밖에 나지 않습니다.

그런데 지금 교회는 어떻습니까? 하나님이 행하시는 일이 보입니까? 사람의 일만 드러나지 않습니까?

교회는 흩어져야 한다

박근혜 대통령이 중국에 가서 경제인들을 모아 놓고 중국어로 연설해서 화제가 된 적이 있습니다. 중국인들이 호감을 갖고 마음의 문을 조금 열었습니다. 나라와 나라 간에 관계를 맺으려면 처음에는 먼저 마음의 문이 열려야 합니다. 그러나 그 관계가 오래 지속되려면 제도가 필요합니다. 세상은 제도를 만들지 않으면 오래 지속되기 어렵습니다. 그러나 교회는 제도가 되면 존속이 어렵습니다. 교회가 제도에 존속되어 있다면 진정한 교회가 아닙니다. 예수님은 교회가 제도권 안에 갇히지 않고 제도를 초월한 관계임을 보여 주셨습니다.

남자와 여자가 결혼을 해서 부부가 될 때 두 사람 간에 약속은 할 수 있지만 그것을 법문화시키지는 않습니다. 가령 아내는 아침 몇 시에 일어나야 한다, 설거지는 식사한 지 30분 이내에 끝내야 한다, 육아는 이렇게 저렇게 해야 한다 같은 계약서를 쓰지 않는 것입니다. 부부 간에 이런 계약 내용이 있으면 더 잘 삽니까? 아닙니다. 오히려 부부관계에 걸림돌이 되고 방해가 될 뿐입니다. 가족은 사랑이 빠지면 아무것도 아닙니다. 사랑으로 맺어지고 사랑으로 존속해야 가족인 것입니다. 그것이 빠진 가족은 이미 가족이 아닙니다.

교회도 마찬가지입니다. 사랑은 제도를 초월합니다. 제도를 포괄할 만큼 큰 능력입니다. 그런데 오늘날 그런 교회를 경험하지 못했기 때문에 모이기만 하면 섬김팀, 찬양팀, 성가대 등을 조직하느라 바쁩니다. 그런 것이 없으면 교회가 아닌 줄로 착각합니다. 또 교인들끼리만 만나려고 힘씁니다. 교인들끼리 모이면 처음에는 좋아요. 얼마나 좋은지 몰라요. 그러나 예수님은 우리끼리 모여서 잘 먹고 잘사는 걸 원하지 않으십니다. 예수님은 사람들의 영혼을 억압하고 사슬로 묶는 종교가 사라지고 주님이 원하시는 교회가 이 땅의 모든 영역에 스며들어서 인간의 모든 영역이 교회화되고, 하나님의 나라가 임하기를 원하십니다. 교회 된 우리가 세상 가운데로 흩어지지 않으면 세상이 교회가 되는 일은 일어나지 않습니다. 세상은 스스로 변화되지 않습니다. 사람들도 스스로 변화되지 않습니다. 십자가를 붙든 사람들의 교회 공동체가 세워지지 않은 세상은 더 나빠질 뿐입니다.

내 평생 60여 년을 돌아보면 세상은 정말이지 현기증이 날 정도로 변했습니다. 화장실에는 휴지 대신 신문지가 걸려 있었고, 시골에선 지푸라기로 뒤처리를 했습니다. 어린 시절 학교 앞에서 팔던 우리의 간식은 왕사탕이면 황홀할 지경이었습니다. 군것질감으로 칡뿌리도 팔았으니까요. 자동차가 드문 시대에 소독차가 지나가면 연기 나는 뒤꽁무니를 따라 멀리까지 달려가곤 했습니다. 저녁이면 TV 있는 집에 몰려가서 늦게까지 연속극을 보았습니다.

그 시절과 비교하면 오늘날은 천지가 개벽해도 여러 번 개벽한 모습입니다. 그런데 우리 삶은 그만큼 좋아졌나요? 행복해졌나요?

우리나라 국민의 절반 이상이 자신이 가난하다고 생각한다고 합니다. 우리 사회는 천지가 개벽했는데 국민의 살림살이는 별로 나아진 게 없습니다. 오히려 모두가 가난하던 시절보다 더 불행하다고 느낍니다. 왜 그렇습니까? 상대적 박탈감 때문입니다.

나는 신학 공부를 미국 보스턴에서 했습니다. 그런데 신학교가 있던 동네는 워낙 부촌이라 집 안에 승마장이 있는 집도 있었습니다. 낙원이 따로 없었습니다. 하지만 이렇게 부족함 없이 살아도 자기보다 잘사는 사람을 보면 자신이 가난하다고 느낄 것입니다. 인간은 결코 만족할 줄 모르는 존재입니다.

이런 세상에서 우리가 믿음의 길을 가고 신앙을 지키기란 결코 쉬운 일이 아닙니다. 그래서 더더욱 신앙의 본질로 돌아가지 않으면 믿음은 세상을 따라잡기 위한 수단이 되기 쉽습니다. 세상에서 소외되었다는 열등감과 박탈감을 위안 삼기 위해 신앙생활을 할 수 있습니다. 그래서 말로는 내려놨다 하면서 실제로는 더 많은 걸 움켜쥐려 합니다. 일단 내려놓고 더 큰 걸 움켜쥐려는 계산을 합니다.

그런 까닭에 우리는 십자가를 묵상하는 것이 일과가 되어야 합니다. 십자가를 날마다 지지 않으면 그 십자가보다 더 무거운 세상을 짊어지게 됩니다. 십자가를 지는 것은 세상이라는 거대한 괴물로부터 자유해지는 유일한 길입니다. 그래서 십자가는 고난 같지만 하나님의 지혜입니다. 십자가는 세상을 이기는 유일한 방법입니다. 그러므로 십자가를 질 수만 있다면, 십자가를 통과할 수만 있다면 이 세상을 넉넉히 이기는 자가 될 줄로 믿습니다.

십자가의 은혜를 경험하라

십자가는 세상에 공의를 세우고 사랑을 흘려보내는 유일한 길입니다. 예수님은 십자가를 위해서 유월절에 제물이 되셨습니다. 유월절 전날 밤 모든 유대인들이 유월절 만찬을 즐기고 있을 때, 예수님은 제자들에게 떡과 포도주를 나눠 주며 '이는 내 찢길 몸이요 흘릴 피'라고 하셨습니다. 유월절 어린 양이 되겠다고 하신 것입니다.

유월절이 어떤 절기입니까? 애굽에서 종살이하던 이스라엘 백성이 어린 양의 피를 문지방에 발라 하나님이 친히 애굽의 모든 가정에 선고

한 장자의 죽음을 모면한 날을 기념하는 절기입니다. 유대인들은 그때부터 지금까지 4천 년간 이 유월절을 기념하고 있습니다.

예수님은 이 유월절에 맞춰 자신을 제물로 드리셨습니다. 그럼으로써 양을 죽여 제물로 바치는 구약의 율법을 폐지하셨습니다. 하나님이 자신을 제물로 바쳐서 자기 자신을 만족시키신 것입니다. 이로써 우리의 죄는 예수님께 전가되고 예수님의 의로움은 우리한테 넘겨지게 되었습니다.

십자가를 신학적으로 이중 전의double transference 라고 합니다. 내 죄가 예수님께 전가되고 예수님의 의로움이 나한테 옮겨진다는 뜻입니다. 이중 전의가 일어나는 곳이 십자가입니다. 십자가로 돌이키면 하나님이 우리를 의롭다 여겨 주십니다. 그래서 십자가란 칭의가 이루어지는 곳입니다. 제물이 드려진 곳, 제물이 받아들여진 곳, 의로움이 전가된 곳, 죄가 전가된 곳입니다.

그 결과 놀랍게도 십자가를 통과하면 죄로부터 자유해집니다. 더 이상 죄책감에 시달리지 않을 뿐만 아니라, 나를 유혹하는 죄에 대해 매력을 느끼지 못합니다. 심지어 그렇게 좋아하던 골프도 별로 재미가 없고 음악도 매력을 못 느끼고 영화도 그저 그렇습니다. 십자가를 통과하면 세상 것에 별로 구미가 당기지 않습니다. 40일 작정기도도 내 힘으로는 잘 안 되지만 십자가의 은혜를 경험하면 힘들이지 않고 할 수 있습니다. 이것이 예수를 믿는 재미입니다. 재미있으면 뭐든지 시간이 빨리 지나갑니다. 영혼이 깊이 만족하면 그토록 탐하던 세상 것들을 자연스럽게 내려놓게 되고 더 이상 목마르지 않게 되고 시간을 뛰어넘어 하나님을 즐거워하게 됩니다.

나는 53세에 신학교에 가면서 하나님께 이렇게 기도했습니다.

"하나님, 이제 공부해서 사역하려면 곧 은퇴할 나이가 됩니다. 하나님은 시간을 주관하시는 분이니 제가 신학교에서 공부하는 동안 시간을 멈춰 주십시오. 이스라엘 백성이 전쟁할 때 해와 달을 멈추지 않으셨습니까."

그런데 놀랍게도 신학 공부하고 돌아오니 사람들이 모두 이구동성으로 내가 더 젊어졌다고 했습니다. 하나님이 어린아이 같은 내 기도를 들어주셔서 내가 시간을 거꾸로 살도록 해주신 것입니다. 이 믿음을 어리석다고 조롱해도 괜찮습니다. 나한테는 실제입니다.

십자가의 은혜를 경험한다는 것은 형이상학적이고 피상적인 것이 아닙니다. 그 은혜를 경험하면 어떤 것과도 바꾸고 싶지 않습니다. 그동안 너무 좋아서 골프 치고 쇼핑하고 여행하던 것이 이제는 복음을 전하기 위해 골프 치고 쇼핑하고 여행을 하게 됩니다. 나 자신의 만족을 추구하지 않게 되는 것입니다. 저 사람이 이 진리에 이르러야 하는데, 저분이 예수님을 알아야 하는데, 이분이 하나님의 지혜를 알아야 하는데… 오직 관심거리는 이것밖에 없게 됩니다.

교회에 십자가의 은혜가 없으면 교회는 아주 경박하고 천박해집니다. 크리스천도 마찬가지입니다. 헌금 좀 내고 나면 본전 생각이 나서 교회에서 한 자리 차지하려 듭니다. 성도들 간에 축의금이며 부의금이 오가면 그게 또 본전이 되어 버립니다. 세상 사람들이 살아가는 기준이나 계산법과 하나도 다를 게 없습니다. 좀 알려진 사람이 오면 목사부터 그 사람을 대하는 태도가 다르고 교회 리더라는 사람들의 태도도 다릅니다. 다들 어느새 십자가를 놓쳤기 때문입니다.

십자가는 기쁨으로 져야 합니다. 십자가가 부담이 되어 버리면 사람이 아주 독해집니다. 예수님은 "내 멍에는 쉽고 내 짐은 가벼움이라"고 하셨습니다. 우리가 십자가를 지겠다고 나서면 예수님이 같이 짊어져 주십니다. 가볍게 해주십니다. 십자가를 져야 한 알의 밀이 떨어져 죽고 열매를 맺을 수 있습니다. 십자가를 져야 회복의 역사가 있고 생명의 역사가 있고 믿음의 역사가 일어납니다.

십자가는 고통스럽고 무서울 것 같지만 이 십자가를 통해 지난 2천 년 동안 믿음이 전해지고 이어져 왔습니다. 만일 지난 2천 년 동안 그리스도의 복음이 십자가 없이 전해졌다면 기독교는 아주 천박한 종교로 전락했을 것입니다.

그러므로 오늘날 교회가 비난의 대상이 되고 조롱거리가 된 것을 심각하게 바라봐야 합니다. 십자가의 은혜가 사라지고 있다는 증거이기 때문입니다.

오늘 우리는 십자가를 다시 꼭 붙들어야 합니다. 십자가는 인간의 지혜로는 그 깊이를 알 수 없습니다. 주님이 지혜를 주셔야 그 은혜를 경험할 수 있고 그 깊이에 감격할 수 있습니다.

십자가를 목에 거는 액세서리로 생각하면 안 됩니다. 골고다 언덕의 십자가를 가슴에 품어야 합니다. 그리고 어느 순간 그 자리에 내가 달려 있어야 합니다. 마땅히 내가 달려야 할 그 십자가에 예수님이 달려 있음을 깨닫고 나면 말할 수 없는 은혜에 눈물이 흐릅니다. 이때 우리의 신앙은 송두리째 흔들리는 지진을 경험하게 됩니다. 그러면 어떤 고난도 고난으로 여겨지지 않고 축복이 됩니다. 왜냐하면 나 하나 죽어서 수많은 밀알이 새 생명으로 탄생하기 때문입니다. 우리의 상급은 나 자신이 얻는 유익이 아니라 나로 인해 주님께로 돌이키는 영혼들입니다. 크리스천의 상급은 언제나 사람입니다. 크리스천의 보상은 언제나 잃었던 영혼이 돌아오는 것입니다. 우리가 가는 곳마다 그런 생명의 열매들이 풍성해지기를 바랍니다. 혼자 잘 먹고 잘살기 위해서, 또 우리끼리 잘 먹고 잘살기 위해서 우리가 이렇게 수고하는 것이 아님을 날마다 기억하기를 바랍니다.

WHY
JESUS

12강

▭
▭
▭
▭
▭
▭
▭
▭

RESURRECTION
부활

우리는 부활해서 다시 만날 것이다

RESURRECTION

어릴 때 내가 살던 집은 대나무 밭이 있는 시골이었습니다. 바람이 부는 날이면 대나무 숲에서 스산한 소리가 나서 마음이 심란해지곤 했습니다. 특히 밤중에 화장실에 가려면 마당을 가로질러야 했는데 대숲이 내는 소리 때문에 더 음산해져서 등골이 오싹했습니다. 금방이라도 대숲에서 귀신이 튀어나올 것 같아 도무지 오줌을 참기 어려울 때까지 참고 참았다가 후닥닥 뛰어나가곤 했어요. 어렸을 땐 귀신이 왜 그렇게 무섭던지요.

그런데 귀신은 실제로 있습니다. 몰라서 그렇지 실제로 귀신 들린 사람이 많습니다. 불과 20-30년 전만 해도 굿하는 집이 많았습니다. 몸이 아파도 굿하고 집안에 우환이 생겨도 굿하고 중요한 일을 앞두고도 굿을 했습니다. 환경이 그렇다 보니 신 내림 받은 사람들도 꽤 있었습니다.

그런데 귀신에 대한 오해가 크게 두 가지 있습니다. 하나는 귀신을 아예 부인하는 것입니다. 만일 그렇게 생각한다면 귀신의 밥이 될 확률이 높습니다. 다른 하나는 귀신을 너무 무서워하는 것입니다. 이것 역시 귀신의 밥이 되기 딱 좋은 상황입니다. 그럼 크리스천은 귀신을 어떻게 생각해야 할까요? 귀신의 존재에 대해 두려움 없이 대처할 수 있어야 합니다. 왜냐하면 하나님이 계시기 때문입니다.

인간은 하나님이 흙으로 빚으시고 숨을 불어넣으신 영적 존재입니다. 과학자들이 너무 자만해져서 자기들도 흙으로 사람을 만들 수 있다고 큰소리쳤답니다. 그래서 하나님이 "어디 네가 흙으로 인간을 만들 수 있나 한번 보자" 했답니다. 과학자들이 의기양양해서 흙을 가지고 나타나자 하나님이 "너는 네 흙을 가지고 빚어라" 했다고 합니다. 무슨 말입니까? 인간은 인간을 빚기는커녕 원재료인 흙조차 만들 수 없는 존재라는 의미입니다. 우리가 물 한 방울을 만들 수 있습니까? 흙 알갱이 하나를 만들 수 있습니까?

영적인 존재가 실상이냐, 육신을 가지고 살아가는 게 실상이냐는 굉장히 큰 종교적 관심입니다. 우리는 눈에 보이는 걸 실제^{reality}라고 생각합니다. 믿음이 없는 사람은 눈에 보이는 것이 전부라고 생각합니다. 그래서 그들은 죽음이 끝이라고 생각합니다. 반면에 신앙인은 눈에 보이는 것은 잠시뿐이고 보이지 않는 것이 영원하다고 봅니다. 눈에 보이는 것은 잠깐 존재하기 때문에 허상이고, 눈에 보이지 않는 존재의 근원이 되는 것이 실제라고 보는 것입니다. 이런 관점을 가지고 있으면 진정한 신앙인입니다. 이들에게 죽음은 끝이 아니라 시작일 뿐이지요. 보이는 것을 계속해서 추구하는 것은 종교적 영역입니다. 어떻게 해서든 신을 설득하고 달래서 눈에 보이는 현상계에서 현상의 가치를 추구하며 누리고 싶어 합니다. 이것은 예수님이 우리에게 주시고자 하는 것과는 관계가 없는 일입니다.

나는 예수는 종교가 아니라는 주제로부터 이 책을 시작했습니다. 이제 마지막 장에서는 예수의 부활에 대해 이야기하려 합니다. 예수님은 고난의 십자가에 부활, 즉 생명이 있음을 보여 주셨고 약속하셨습니다.

눈에 보이는 것이 허상이다?

예수님은 이 땅에 오셔서 십자가를 지시고 부활하셨습니다. 우리에게 부활과 영원한 생명이 있다는 걸 말씀해 주시기 위해서입니다. 부활과 영원한 생명은 눈에 보이지 않지만 실재합니다.

"믿음은 바라는 것들의 실상이요 보이지 않는 것들의 증거니"^{히 11:1}

믿음은 보이는 것을 믿는 것이 아니라 보이지 않는 것을 실재하는 것으로 믿는 것입니다. 물은 눈에 보이니까 실재한다고 말하지만 그것은 허상입니다. 바닷가의 그 많은 물도 허상입니다. 물이 끓으면 수증기가 되어 공기 중으로 날아갑니다. 공기 중으로 날아간 물은 형체가 없습니다. 그렇다면 수증기가 실제입니까, 물이 실제입니까? 수증기 입장에서 보면 물이 허상이고 물의 입장에서 보면 수증기가 허상입니다. 무엇이 실재하는 것입니까? 과학적으로 따져 봅시다. 물분자를 화학식으로 나타내면 H_2O입니다. 산소 원자 하나에 수소 원자 두 개가 결합된 것이 물분자입니다. 그런데 그 구조를 보면 각도가 104.5°로 기울어져 결합되어 있습니다. 이 결합 각도 때문에 물분자는 다른 분자와 쉽게 결합할 수 있습니다. 물 위에 다른 물을 부으면 아무런 갈등 없이 서로 결합하는 것이지요. 만일 수소 원자와 산소 원자가 104.5°가 아니라 180°로 결합되어 있으면 영하 80℃에서도 물은 증발되어 버립니다. 그렇게 되면 물이 70%를 차지하는 우리 몸도 증발하고 맙니다.

여기서 우리는 한 가지 의문을 갖게 됩니다. 물이 실제인가, 물 분자가 실제인가 하는 것입니다. 눈에 보이는 물이 실제입니까, 눈에 보이지 않는 물분자가 실제입니까? 우리가 믿는 실제란 사실상 따지고 보면 허상에 불과할 수 있습니다.

감기가 심해 동네 병원에 갔더니 얼마나 사람이 많은지 한참을 기다려야 했습니다. 우리는 몸의 어느 하나라도 이상이 생기면 병원에 갑니다. 하루에 최소한 두 번 이상 얼굴을 씻고 이를 닦아서 깨끗이 하려고 애씁니다. 건강과 아름다움을 위해 우리 육신을 가꾸듯이 영혼의 건강과 아름다움을 위해서도 시간을 들여 가꾸어야 합니다. 아니 영혼은 진정한 실제이므로 거기에 더 많은 시간과 정성을 쏟아야 합니다. 보이지 않지만 영원한 것에 시간을 투자해야 하는 것입니다.

그런데 눈에 보이는 것에만 투자하는 삶은 한마디로 '짐승'과 같은 삶이라고 할 수 있습니다. 인간은 달라야 합니다. 눈에 보이는 게 전부가 아닙니다. 이 점을 잊어버리면 인간은 짐승과 다름없는 삶을 살게 됩니다. 눈에 보이는 것만 갈망하고 추구하는 것은 짐승이나 하는 짓입니다. 만일 교회가 눈에 보이는 것만 추구한다면 더 이상 교회가 아닙니다. 예수님을 믿는 공동체가 아닙니다.

현대는 100세 시대라고 합니다. 예전에 비하면 수명이 엄청 길어졌습니다. 그러나 영원에 비하면 100년은 순간에 불과합니다. 100년은 영원의 눈으로 보면 허상에 불과합니다. 그래서 성경은 "인생은 그날이 풀과 같도다"^{시 103:15}라고 했습니다. 인생은 잠시 피었다 시들어 버리는 들풀과 같고 해가 뜨면 사라지는 아침 안개와 같습니다. 우리가 이 순간의 삶을 위해 불쌍하게도 아등바등 살고 있는 것입니다.

왜 예수인가?

신앙을 가진다는 건 아등바등하는 삶으로부터 자유하기 시작하는 것이라고 생각합니다. 그런 삶으로부터 자유해지는 키워드가 바로 부활입니다. 나는 예수를 믿게 된 게 부활 때문이었습니다. 부활이 없다면 예수님은 그저 4대 성인 중 한 사람에 불과합니다. 예수님이 무덤에 갇혔다면 공자나 독배를 마신 소크라테스와 다를 바가 없습니다. 예수님이 우리 죄를 대신해 십자가를 지시고 그저 무덤에 묻혀 버렸다면, 그는 지극히 의로운 사람으로 기억되었을 것입니다.

그런데 놀랍게도 예수님은 무덤에서 다시 살아나셔서 부활하셨습니다. 이 지점에서 믿는 자와 믿지 않는 자가 선명하게 갈립니다. 교회를 다니는 사람이라도 믿는 체하거나 한 번도 의심해 본 적이 없기 때문에 아무 감동 없이 받아들일 수 있습니다. 지금 현재 나한테 일어난 사건이 아니기 때문에 아무리 교회를 다녀도 감동이 없는 것입니다.

예수님이 부활하셨다면 지금 살아 계시다는 뜻입니다. 눈이 휘둥그레질 만큼 놀라운 사건입니다. 그래서 십자가의 죽음과 부활이 오늘을 사는 나에게 어떤 의미인지가 분명해져야 합니다. 그렇지 않으면 기독교는 허상이 됩니다.

왜 예수입니까? 왜 굳이 예수여야 합니까? 착하게 살기 위해서입니까? 도덕적인 삶을 살기 위해서입니까? 공자의 일생을 배우고 따라도 착하고 인격적으로 훌륭한 사람으로 살 수 있습니다. 붓다에게서 인생을 배워도 물욕을 초월하는 삶을 살 수 있습니다. 우주와 내가 하나되는 범아일여梵我一如의 영적 엑스터시ecstasy도 경험할 수 있습니다. 어떤 종교에도 다 이런 것들이 있습니다. 그런데 중요한 건 부활이라고 하는 마지막 키워드에 있습니다. 하지만 이 부활 사건이 놀랍게도 단 일회적 사건이었다는 것에 거리감을 느낄 수 있습니다. '그분만 부활하지 않았나? 우린 뭐지?' 할 수 있다는 것입니다.

예수님은 이 부활이 믿음으로 우리에게 주어진 선물이라고 하셨습니다. 안타깝게도 사람들은 이 선물을 받을 것인가, 말 것인가를 두고 고민하고 갈등합니다. 어떤 사람이 빌딩에 올라가 만 원짜리 지폐를 뿌려도 그것을 주우려고 서로 달려드는 사람들이 영원한 생명을 선물로 주겠다는데 고민합니다. 믿어지지 않더라도 일단 받아 놓는 게 좋지 않겠습니까? 확률상 50대 50인데 왜 망설입니까? 그래서 예수를 믿지 않는 사람들은 지독한 죄인이거나 지독한 바보이거나 둘 중 하나입니다.

놀랍게도 이 부활을 믿는다는 이유로 수많은 사람들이 죽어야 했습니다. 313년 콘스탄티누스 황제가 기독교를 공인하기 전까지 300만 명 이상의 사람들이 부활 신앙 때문에 죽어 갔습니다. 불에 타서 죽고 목이 잘려 죽고 십자가에 달려 죽고 절벽에 떠밀려 죽었습니다.

터키의 카파도키아에 가면 기가 막힌 지하 동굴들이 있습니다. 데린쿠유derinkuyu라는 동굴은 지하 30m 깊이에 있는데, 무려 5,000명을 수용할 수 있는 규모입니다. 초기 기독교인들은 부활 신앙을 지키기 위해 지하 동굴에서 평생을 살아야 했습니다. 한 사람이 겨우 지나갈 만한 좁은 통로를 따라 서로 왕래하며 살았습니다. 로마 군인이 통로 앞쪽과 뒤쪽을 막아 버리면 그것으로 죽음일 수밖에 없는 그런 곳에서 하나님이 누구에게나 공평하게 비추는 태양조차 구경하지 못하고 갇혀 지내야 했습니다. 믿음은 이렇게 대단한 능력입니다.

예수님은 부활을 우리에게 보여 주기 위해 퍼포먼스를 계획하셨습니다. 그래서 나사로를 무덤에서 살려 내기로 결심하셨습니다. 예수님은 나사로가 병에 걸렸다는 소식을 들었으나 곧바로 달려가시지 않았습니다. 마르다와 마리아가 예수님이 속히 와서 나사로의 병을 고쳐 주실 것을 부탁했으나 예수님은 어쩐 일인지 서두르지 않았습니다. 길을 나서서도 천천히 가십니다. 마리아 집에 도착했을 때는 이미 나사로가 죽은 지 나흘이 지난 뒤였습니다. 마리아는 이렇게 늑장을 부려 당도한 예수님이 원망스러워 볼멘소리를 합니다.

"주께서 여기 계셨더라면 내 오라버니가 죽지 아니하였겠나이다"요 11:32

그러면서 마리아가 흐느껴 우니 예수님도 비통해하며 우셨습니다. 죽은 지 나흘이 지났다면 이미 무덤에 안치한 시신에서 냄새가 나기 시작할 때입니다. 뜨거운 근동 지역에선 하루만 지나도 시신이 상하기 시작합니다. 나흘은 돌이킬 수 없는 절망적인 시간입니다. 예수님은 마치 기다렸다는 듯이 나타나셔서 이렇게 말씀하십니다.

"나는 부활이요 생명이니 나를 믿는 자는 죽어도 살겠고 무릇 살아서
나를 믿는 자는 영원히 죽지 아니하리니 이것을 네가 믿느냐"요11:25-26

바로 이것이 예수님이 그 누구보다 사랑하는 나사로의 죽음 앞에서 늑장을 부린 이유입니다. 우리에게 부활을 가르치기 위해서 아프다

287

는 소식을 듣고도 늑장을 부리신 것입니다. 지금 가장 고민되는 것이 무엇입니까? 아파서 고민입니까? 얼굴에 기미가 생겨서 고민입니까? 취직이 안 되어 걱정입니까? 그런데 우리는 언제 어느 때 죽을지 알지 못하는 인생입니다. 오늘 당장 죽을 수도 있고 내일 자다가 죽을 수도 있습니다. 죽음은 늘 우리 곁에 있습니다. 그런데 예수님은 죽어도 살겠고 살아서 믿는 자는 영원히 죽지 않을 것이라고 말씀하십니다. 누가요? 예수님을 믿는 사람이 말입니다. 바로 이것이 믿음의 핵심입니다.

진실을 알고자 하면 부활이 보인다

여러분은 예수를 왜 믿습니까? 병이 낫기 위해서입니까? 취직하고 대학에 합격하기 위해서입니까? 나는 소원 풀이 하려고 교회 다니는 분을 보면 좀 답답합니다. 차라리 미아리에 가는 게 더 빠를지도 모릅니다. 스님 중에도 예언하는 분들이 많습니다. 교회 와서 비는 사람은 새벽마다 목욕 재개하고 산에 올라가 산신령에게 빌고 부처에게 비는 사람들에 비하면 공짜로 소원을 이루려는 사람들입니다. 귀신에 접신해서 미래를 알아맞힌다고 자신하는 사람들이 70만 명이 넘는다고 합니다. 귀신들도 세력 확장을 열심히 합니다. 굉장히 조직적입니다. 우리가 미래가 궁금하다면 그쪽으로 가는 게 맞겠죠. 그러니 미래에 대해 너무 궁금해하지 말라는 겁니다. 마땅히 알 만한 것 외에는 힘써 알려고 하지 마십시오. 알아서 무엇하겠습니까? 중요한 것은, 예수님을 믿으면 죽음을 안 볼 거라는 것입니다.

예수님은 "내가 곧 길이요 진리요 생명이니"I am the way and the truth and the life 하시더니 한 번 더 "나는 부활이요 생명이니"I am the resurrection and life 라고 강조하셨습니다.

예수님은 자기 자신을 부활이라고 지칭하십니다. 인류 역사상 "내가 부활이다"라고 말한 사람은 아무도 없습니다. 어느 유명한 철학자도, 어느 훌륭한 명상가도 이런 말을 한 적이 없습니다. 누군가 이렇게 말했다면 사람들은 그를 미쳤다고 말할 것입니다. 그런데 예수님은 분명하게 "내가 부활이다"라고 말씀하셨습니다. 그렇다면 우리가 믿는 예수님이 미치광이거나 스스로 말씀하신 대로 진실로 부활이거나 둘 중 하나겠지요.

오랫동안 과연 진실이 무엇이냐고 달려든 사람들이 많았습니다. 그런데 놀랍게도 예수님의 이 말이 진실인지 아닌지를 규명하겠다고 달려든 사람들은 모두 부활을 믿게 되었습니다. 미치광이라고 콧방귀를 뀐 사람들은 끝내 예수님을 만나지 못하고 죽음을 맞이했지만 진지하게 진실을 알고자 한 사람들은 모두 예수님을 만났습니다.

18세기에 길버트 웨스터라는 사람이 있었습니다. 그는 예수를 믿는 주변의 친구들이 너무 한심했습니다. 어떻게 지성인들이 신을 믿느냐고 조롱했습니다. 그러던 어느 날 예수의 부활이 거짓임을 증명하면 기독교도 무너질 것이라는 확신을 가지고 부활을 연구하기 시작했습니다. 모든 자료를 수집하고 편집해서 부활은 거짓이라는 것을 증명하는 책을 쓰기로 했습니다. 책을 반쯤 쓰던 어느 날 그는 예수님을 만났습니다. 이후 그가 쓰던 책은 예수 그리스도의 부활에 관한 논증으로 바뀌었습니다.

19세기의 유명한 무신론자인 잉거솔은 황당하기 그지없는 부활 신앙을 반박하기 위해 당시 덕망과 학식이 있는 루 월리스를 찾아갔습니다. 자기를 대신해 글을 써달라고 부탁하러 간 것입니다. 루 월리스는 흔쾌히 수락했고 글을 쓰기 시작했습니다. 그러나 그 역시 글을 쓰던 중에 예수님을 만났고 전혀 다른 내용의 책을 내기에 이르렀습니다. 그 책의 이름이 바로 《벤허》입니다. 영화로도 제작되어 크게 사랑받았습니다.

20세기의 유명한 무신론자 프랭크 모리슨도 부활이 거짓임을 입증하려던 사람이었습니다. 그는 변호사이자 저널리스트로서 방대한 자료를 바탕으로 부활이 거짓임을 논증하는 글을 쓰다가 예수님을 만났습니다. 이후 그는 예수님을 만난 감격을 기술한 《누가 돌을 옮겼는가》Who moved the rock 를 펴냈습니다.

아직 예수님의 부활이 믿어지지 않는다면, 믿더라도 피상적으로 믿고 있다면 이 주제로 책을 써 보십시오. 반드시 예수님을 만나게 될 것입니다.

부활이라는 열쇠를 손에 쥐고 있지 않다면 기독교도 허상이요 교회도 허상입니다. 부활에 대한 소망이 없다면 크리스천은 위선으로 살고 있는 것입니다. 예수님을 이용해 이 땅에서 좀 더 잘 먹고 잘살기 위해 위악을 떨며 살고 있는 것입니다. 부활에 대한 믿음, 부활에 대한 소망, 부활에 대한 흔들림 없는 신앙을 가지면 그런 것이 하찮아 보여야 정상입니다. 그런 것을 붙들고 사는 사람들이 불쌍해 보여야 합니다.

그런데 지금 어떻습니까? 그들이 불쌍하기는커녕 그렇게 살아가려고 기를 쓰고 있지 않습니까? 그러니까 믿지 않는 사람들이 크리스천에 대해 궁금해 하지 않는 것입니다. 크리스천은 부활 신앙을 놓치면 안 됩니다. 이것이 우리 신앙의 마지막 열쇠이기 때문입니다.

영원한 것을 사모하라

"만일 땅에 있는 우리의 장막 집이 무너지면 하나님께서 지으신 집
곧 손으로 지은 것이 아니요 하늘에 있는 영원한 집이 우리에게 있
는 줄 아느니라"고후 5:1

우리가 지금 입고 사는 이 육신은 장막 집, 즉 텐트와 같습니다. 영원한 집, 허물어지지 않는 집, 썩지 않는 집을 하나님께서 준비하고 계십니다. 이 육신이 죽어 부활하면 영원한 집에서 삽니다.

문제는 우리가 이 부활의 몸을 믿지 못하는 것입니다. 보이는 것이 전부라는 생각이 너무 확고하기 때문입니다. 그러나 태평양의 물이 아무리 많아도, 이 지구가 온통 물로 덮여 있어도 물 전체가 한순간에 수

소와 산소로 변할 수 있음을 기억하십시오. 하나님이 물분자인 산소와 수소의 결합각도를 1°만 틀어 버려도 영하 80°C에서 물은 흔적도 없이 사라져 버립니다. 지구상에서 생명체가 숨쉬고 살기 위해서는 산소가 대기 중에 정확히 21%만 있어야 합니다. 지구는 태양을 향해서 정확히 23.5° 기울어 있어야 합니다. 그 각도가 조금만 틀어져도 지구상의 모든 생명체가 살 수 없게 됩니다. 이 지구와 태양계가 얼마나 치밀하게 구성되어 있는지 어느 하나라도 균형이 깨지면 살 수가 없습니다.

그런데 인간이 지구의 균형을 흔들고 있습니다. 벌써 이상 징후들이 여기저기서 나타나고 있습니다. 때가 많이 남아 있지 않습니다. 지구에는 200억 명이 먹고살 수 있는 자원이 있다고 합니다. 그런데 지금 고작 70억 명밖에 안 되는데도 굶어죽는 인구가 상당합니다. 왜 그렇습니까? 인간의 탐욕이 그 균형을 깨고 있기 때문입니다.

오늘날의 경제 시스템은 정말이지 죄악되고 타락했습니다. 지구의 자원이 남아도는 것이 아닌 줄 알면서도 전혀 아껴 쓰지 않습니다. 약간의 불편도 못 견뎌 합니다. 사람들은 이것을 발전이라고, 번영이라고, 행복이라고 말하지만 나는 길을 잘못 들어선 것이라고 생각합니다. 바른 길을 놓쳐서 엉뚱한 길을 걷고 있다고 생각합니다.

경제학은 답답한 논리 위에서 출발합니다. 크게 두 가지 전제를 하는데 하나는 '인간의 자원은 유한하다'이고 다른 하나는 '인간의 욕망은 무한하다'입니다. 나는 이 전제 때문에 경제학은 궁극적인 답을 제시할 수 없는 학문이라고 생각합니다. 오늘날 그 무한한 욕망을 충족시키기 위해 모든 경제 시스템을 가동하고 있습니다. 그것을 중상주의라고 부르든, 산업 자본주의라고 부르든, 금융 자본주의라고 부르든 인간의 끝없는 탐욕을 채우는 것이 미덕으로 여겨지는 세상이 되었습니다.

여러분은 행복합니까? 만족스럽습니까? 우리나라 인구의 태반이 가난하다고 생각한답니다. 누군가와 비교하면 나는 여전히 가난하고 불만족스러운 것입니다. 이 거대한 불만족이 폭발하면 정말 큰 재앙이 될 것입니다. 앞으로 교회와 크리스천의 역할이 더 중요해졌습니다. 왜냐하면 아무도 행복하지 않은 사회에서 사회의 불안 요소든 폭력적인 요소든 그것을 감당할 수 있는 것은 믿음밖에 없기 때문입니다. 우리는 출발부터가 잘못된 경제 시스템 안에서 살아야 하지만 그 시스템이 가진 가치관과 방향성에 결코 동조해선 안 됩니다.

그럼에도 오늘날 크리스천들은 안타깝게도 믿음을 가졌지만, 영원한 것에 대해 알지만 영원한 것을 사모하지 않습니다. 부활을 모르거나, 믿는다고 착각하거나, 믿어도 그것과 상관없이 살기 때문입니다. 보이지 않는 것이 더 중요하다는 진리를 삶으로 살아 내지 못하는 것입니다. 그래서는 세상이 잘못을 돌이킬 수 없습니다. 세상은 마치 절벽을 향해 질주하는 기차와 같습니다. 떨어지면 다 같이 죽는 줄 알면서도 멈추지 못합니다.

카파도키아의 지하 동굴에서 살던 사람들은 아무것도 손에 쥔 것이 없었지만 "주 예수여 어서 오시옵소서" 하는 믿음 하나로 살았습니다. 부활을 믿는 사람은 영원한 것을 사모하게 되어 있습니다. 그 사람은 보이지 않는 것이 중요하다는 것을 몸으로 살아 냅니다. 세상을 돌이킬 힘이 있습니다.

부활 신앙에 합당하게 살라

콘스탄티누스 황제 이후 기독교가 공인되면서 기독교는 급속히 타락하기 시작했습니다. 그래서 로마 가톨릭이라는 괴물을 탄생시켰습니다. 교황의 머리에 왕관을 씌어 주기 위해 예수님이 십자가에 달리셨습니까? 로마 교황청의 권위를 성경의 권위에 버금가게 하려고 예수님이 부활하셨습니까? 가톨릭은 그 권위를 이용해 돈을 받고 면죄부까지 팔았지 않습니까?

오늘날의 교회는 또 어떻습니까? 마틴 루터의 종교개혁 이후 어떻게 되었습니까? 몇몇 목사들은 교회에서 교황처럼 군림하지 않습니까? 혹시 대형 교회가 작은 교황청이 되지는 않았습니까?

오늘 우리가 부활 신앙 속으로 뛰어들면 비록 육신을 가지고 살아가지만 인생에서 진정한 자유를 경험하게 됩니다. 진정한 자유의 본질이 무엇입니까? 죽음으로부터의 자유입니다.

왜 예수입니까? 우리를 죽음으로부터 자유하게 하셨기 때문입니다. 예수님을 만난 사람들의 자유의 본질은 무엇입니까? 더 이상 죽음의 공포나 죽음의 그림자에 묶이지 않는다는 것입니다. 그래서 그토록 많은 사람들이 믿음을 굳게 지키며 순교할 수 있었습니다. 지난 수세기 동안 수백만 명이 순교했습니다. 물론 예수를 만난 모든 사람이 순교해야 한다는 의미는 아닙니다. 다만 우리가 진정한 부활 신앙을 이해한다면 부활을 믿지 않는 사람들과 같은 패턴으로 살지 않는다는 것입니다. 그들이 소유한 부와 명예를 질투하지 않고 그것을 얻기 위해 경쟁하지도 않습니다.

오늘날의 사회 경제 시스템은 인간의 무한한 욕망을 자극하는 방향으로 가고 있습니다. 어느 날 허리에 삐삐를 차고 다니다가 휴대폰을 손에 넣었고, 다시 스마트폰으로 갈아치웁니다. 갤럭시3를 산 지 얼마 안 돼 갤럭시4를 욕망하고 갤럭시4를 손에 넣으면 또 다른 제품을 욕망하게 됩니다. 인간의 욕망을 무한대로 키워 가는 것이 오늘날 물질문명이 존재하는 방법입니다. 수요가 생산을 부르기보다 생산이 탐욕을 부르는 패턴으로 치닫고 있습니다.

인간의 욕망은 과연 충족될 수 있을까요? 그 어떤 것으로도 인간의 욕망을 채우지 못합니다. 오직 무한하신 하나님이 우리 안에 오셔야 충족될 수 있습니다. 그분이 우리 안에 오시면 인류의 오랜 숙제인 죽음의 문제가 해결됩니다. 그분이 곧 부활이요 생명이기 때문에 유한한 생명을 영원한 생명으로 바꾸어 놓으십니다.

예수님이 "나사로야 나오라" 하시자 나사로는 칭칭 동여맨 베옷을 풀어헤치고 무덤에서 걸어 나왔습니다. 무덤에 들어간 지 벌써 나흘째라 썩어서 냄새가 진동하던 몸이 살아난 것입니다. 예수님이 왜 죽은 나사로를 살리셨습니까? 예수님이 '생명과 죽음을 주관하는 자'라는 사실을 알려 주시기 위해서였습니다. 예수님이 영원한 생명을 주면 무덤이 필요 없음을 선포하시기 위해서였습니다. 그리고 궁극적으로 십자가에 달려 돌아가신 뒤 부활하심으로써 죽음에 대한 사망 선고를 하셨습니다.

또한 부활은 수천 년간 내려오던 무덤 문화에 대한 종식을 뜻합니다. 이집트에서 가장 유명한 문화 유적은 피라미드입니다. 그런데 피라미드는 무덤입니다. 중국의 진시황릉도 무덤이지요. 이 어마어마한 무덤을 짓기 위해 수만 명의 사람들이 동원되었고 죽어야 했습니다. 무덤 안에 부장품이라고 해서 갖가지 물건뿐만 아니라 생사람을 매장시키기도 했습니다. 이렇게 죽음에 사로잡힌 거대한 인간의 족쇄를 푼 사건이 바로 부활입니다. 왜 예수입니까? 그분만이 부활하셨기 때문입니다. 그분만이 우리에게 부활 생명을 허락한다고 약속하셨습니다.

"나는 부활이요 생명이니 나를 믿는 자는 죽어도 살겠고 무릇 살아
서 나를 믿는 자는 영원히 죽지 아니하리니"요 11:25-26

우리가 부활해서 다시 만날 것이라는 것이 우리 믿음의 본질입니다. 우리 신앙의 초점이 부활에 맞춰져야 인생이 가벼워질 수 있습니다. 인생에서 만나는 고난을 나를 집어삼키는 파도가 아니라 나를 목적지까지 데려다주는 해풍으로 여길 수 있는 비밀이 여기에 있습니다. 이 땅에서 평안을 누리고 죽음을 무서워하지 않는 이유가 여기에 있습니다. 남

편이 속 썩여도 그를 미워하지 말고 불쌍히 여기십시오. "이 사람아 왜 그렇게 술을 먹어. 불쌍하게" 할 수 있는 능력이 바로 부활 신앙에서 나옵니다. 예수님은 부활하신 뒤 베드로와 열두 제자 그리고 500여 명에게 보이셨습니다.

"성경대로 사흘 만에 다시 살아나사 게바에게 보이시고 후에 열두 제자에게와 그 후에 오백여 형제에게 일시에 보이셨나니"고전 15:4-6

예수님은 왜 이 오백여 명에게 찾아가셨을까요? 여러분이라면 부활해서 누구부터 찾아갈 것 같습니까? 나를 핍박하고 십자가에 매단 대제사장과 종교 지도자들을 찾아갈 것 같지 않습니까? "봐라. 내가 부활한다고 했지? 내가 하나님의 아들이라 했지?"

그런데 예수님은 예수님을 좇는 500여 명에게 찾아갔습니다. 이유가 뭡니까?

예수님을 잃고 낙심한 영혼들을 일으켜 세우기 위해서입니다. 예수님을 배반해서 비탄에 빠진 베드로를 다시 일으켜 세우기 위해서입니다. 그들은 누구입니까? 예수님처럼 부활할 사람들입니다. 부활과 상관 있는 사람들입니다. 예수님은 부활과 상관없는 사람들을 찾아가시지 않았습니다. 이것이 우리가 예수님의 부활에서 배워야 할 점입니다.

성경에는 죽었다 살아난 나사로와는 또 다른 이름의 거지 나사로와 부자 이야기가 나옵니다. 거지 나사로는 이 땅에서 부자가 먹던 빵 부스러기나 주워 먹고 살았습니다. 반면에 부자는 매일 잔치를 벌일 만큼 잘 먹고 잘살았습니다. 배부르고 등 따스우니까 거처도 없이 떠도는 나사로를 벌레 보듯이 했습니다. 그런데 두 사람이 죽은 뒤 형편이 딴판이 되었습니다. 나사로는 하나님 품에 안겼으나 부자는 물 한 모금 마실 수 없는 극심한 고통 가운데 버려졌습니다.

이 이야기에서 거지 나사로는 아브라함의 자손, 믿음의 자손으로 인정받고 있습니다. 그런데 이생에서는 누가 아브라함의 자손이라 불렸겠습니까? 누가 더 축복받은 사람이라고 여겼겠습니까? 사람들은 부자가 아브라함의 자손이며 축복받은 사람이라고 생각했을 것입니다. 그러나 실상은 그 반대였지요. 이것이 부활 신앙과 어떻게 연결됩니까? 우리는 부활 신앙을 가지고 어떻게 살아야겠습니까? 부자처럼 살아야겠습니까, 나사로처럼 살아야겠습니까? 깊이 묵상해 보십시오.

부자는 극심한 고통 가운데서 부탁합니다. 나사로를 가족한테 보내서 자기처럼 이곳에 오는 일이 없도록 하라는 말을 전하게 해달라고 말입니다. 그러자 예수님은 이렇게 말씀하십니다.

"그들에게 모세와 선지자들이 있으니 그들에게 들을지니라"눅 16:29

무슨 말입니까? 지금까지 선지자들과 천사들과 예수님까지 보내서 말해 주었다는 것입니다. 그러니 들을 귀가 있으면 들을 것이라는 의미입니다. 들을 귀가 없는 사람은 그렇게 누누이 말해 주어도 믿지 못합니다. 그런 사람은 나사로가 살아 돌아가서 직접 이야기해 줘도 안 믿기는 마찬가지라는 것입니다. 언제나 돌이키라는 말을 했으나 듣는 귀가 없어서 듣지 못했고 돌이킬 수 없었다는 것입니다.

예수님의 부활은 여러분의 인생을 어떻게 바꾸어 놓을 수 있습니까? 여러분이 이 부활 신앙을 가진다면 남은 인생을 어떻게 살겠습니까? 이것에 대해 깊이 묵상하기를 바랍니다.

나는 고난 때문에 예수님을 찾은 게 아닙니다. 오히려 내 인생의 클라이맥스에서 예수를 믿기로 결정했습니다. 당시 나는 iMBC의 CEO로서 다음 해에 회사가 상장되면 스톡옵션이 생기는 등 인생의 또 다른 성공가도를 달릴 수 있었습니다. 스카우트 제의도 여러 곳에서 받았습니다. 언론사 사장으로 와 달라는 곳도 있었고 국회의원으로 출마하라는 제의도 있었습니다. 하지만 나는 그 순간 신학교에 가기로 결정했습니다. 아내가 펄쩍 뛰었지요. 아내는 백 번 양보해서 신학교에 갈 생각이면 앞으로 먹고살 돈이라도 챙기라고 했습니다. 그때 내가 아내에게 물었습니다.

"오늘밤에 하나님이 나를 데려가면 어쩌겠소? 오늘밤에 죽어 버리면 그 많은 돈이 무슨 소용이란 말이오?"

오늘밤 하나님이 여러분을 데려가신다면 여러분은 지금 당장 무엇을 하겠습니까? 가장 중요한 일을 해야 하지 않겠습니까? 쓸데없는 일에 낭비할 시간이 없습니다.

오늘 당장 죽는다 해도 두려워할 일은 아닙니다. 우리는 하나님이 오늘 하루만 육신의 생명을 허락했다 해도 불안해할 이유가 없습니다. 우리에겐 영원한 인생이 선물로 주어졌으니까요. 그렇다면 이 육신의 생명을 가지고 영생을 위한 일을 해야 하지 않겠습니까?

당장 신학교 가서 하나님의 일을 준비하라는 얘기가 아닙니다. 가족을 다 버리고 하나님의 일만 하라는 얘기도 물론 아닙니다. 지금 여러분이 하는 모든 일이 부활과 영원한 생명과 관련되도록 하라는 의미입니다. 그것이 우리 삶의 목적이 되도록 하라는 뜻입니다. 어떻게 내가 하는 이 일이 영원한 삶과 접속되게 할 것인가, 어떻게 내 일상이 영원한 삶과 관련되게 할 것인가, 이것이 우리 인생의 초점이 되어야 합니다.

그럴 때 우리 인생은 영원한 생명에 합당한 삶이 됩니다. 그러면 노래를 해도 의미가 있고, 연주를 해도 의미가 있으며, 사람을 만나도 의미가 있고, 가족의 밥상을 차려도 의미가 있습니다. 무슨 일을 하든지 영원한 생명에 접속되는 사건이 됩니다.

이것이 궁극적인 하나님의 뜻입니다. 이것이 이 땅에 하나님이 임하시는 방법입니다. 교회는 하나님이 임한 하나님 나라의 첫 모습입니다. 하나님 나라가 임한 교회가 곳곳으로 흩어져서 이 땅 전체가 교회로 이루어져 가는 것이 하나님의 뜻입니다. 우리의 가장 큰 기쁨은 아버지의 뜻이 이 땅 가운데 이루어지도록 하는 데 쓰임 받는 것입니다. 이것이 우리가 날마다 구원을 이루어 가는 삶입니다. 이것이 부활이라는 놀라운 선물을 받은 영원한 생명의 가장 아름다운 모습입니다.

영원한 진리인

말씀을 따라가 보십시오.

우리 존재의 뿌리이고

생명의 근원이신

그분을 만나게 될 것입니다.